Oraciones con Poder
Santiago 5:16

Oraciones con Poder
Santiago 5:16

por
Word Ministries, Inc.

Traducción por Juan Hernández, Ph.D.

Y esta es la confianza que tenemos en él, que si pedimos alguna cosa conforme a su voluntad, él nos oye. Y si sabemos que él nos oye en cualquiera cosa que pidamos, sabemos que tenemos las peticiones que le hayamos hecho.

I Juan 5:14,15

Harrison House
Tulsa, Oklahoma

A menos que se indique lo contrario, todas las citas bíblicas han sido tomadas de la versión *Reina-Valera,* Revisión 1960.

Las oraciones y confesiones han sido parafraseadas de esta versión, a menos que se indique lo contrario.

Este libro fue publicado originalmente en Inglés con el título *Prayers That Avail Much.* Se han impreso más de 500,000 copias.

Prayers That Avail Much
ISBN 0-89274-480-4
© 1980 by Word Ministries, Inc.
38 Sloan St.
Roswell, GA 30075
Estados Unidos de América

Traducción de Juan Hernández, Ph.D.

Publicado por Harrison House, Inc.
P. O. Box 35035
Tulsa, OK 74153
Estados Unidos de América.

Impreso en los Estados Unidos de América.

Edicion Numero Cinco
Mas De 20,000 impressas

DEDICATORIA

Dedicamos este libro a nuestro Señor y Salvador, Jesucristo. *"El Señor daba palabra: había grande multitud de las que llevaban buenas nuevas"* (Salmos 68:11).

Nuestro agradecimiento especial a Jan Duncan, Carolyn East, Pat Gastineau, Frank Patterson, Barbara Patton y Pat Porter por su colaboración en este libro.

Germaine Copeland, Presidenta
Word Ministries, Inc.

Nota del Traductor

Lo que hace poderosas a estas oraciones es su fundamento bíblico. Las oraciones son, casi en su totalidad, recitaciones de versículos de La Palabra de Dios. Muchas veces se han usado dicción y sintaxis de la Versión Reina-Valera. Es posible que a algunos lectores les cueste un poco de trabajo acostumbrarse a este estilo. Con frecuencia se mezclan dicción y sintaxis antiguas con dicción y sintaxis modernas. Algunas expresiones son del movimiento carismático interdenominacional. Por lo tanto, ruego al lector, principalmente al que no está familiarizado con La Biblia, que lea detenidamente las citas bíblicas que acompañan a cada oración. Leyendo estas porciones de La Palabra de Dios entenderá mejor expresiones como "nacer de nuevo", "el bautismo del Espíritu Santo", "ser un hacedor de La Palabra" y recibir "al ciento por uno". Consultando estas referencias bíblicas podrá ver directamente en su Biblia las palabras que está repitiendo en forma de oración.

Orando de acuerdo a La Palabra de Dios el lector mismo comprobará que Jesucristo es fiel, recibirá contestaciones a sus oraciones y declarará que de verdad estas son *Oraciones con Poder*.

Indice

Prólogo 7
Introducción 10
Oraciones de Alabanza 16
Confesiones Personales de Fe 18

Oraciones Basadas en la Palabra de Dios
(en forma de confesiones de fe):

Las Autoridades:
Por Nuestro Presidente y Nuestro Gobierno 20
Por las Naciones y los Continentes 22
Por los Sistemas Escolares (Autoridades, Hijos
y Padres) 24

El Cuerpo de Cristo:
Por el Cuerpo de Cristo 27
Por Israel 29
Por los Ministros 31
Por los Misioneros 33
Por las Reuniones, los Seminarios y los Estudios
Bíblicos 35
Por la Prosperidad de los Siervos que Ministran 37

Compromiso:
A Estar Conciente de que Dios Vive en Mí 39
A la Palabra de Dios y a una Vida de Oración Acertada 41
A Regocijarse en el Señor 43
A Caminar en la Sabiduría de Dios y en Su Perfecta
Voluntad 45
A Andar en Amor 47
A Cuidar de Mis Palabras 49
A Vivir Libre de Preocupaciones 51

Liberación:

De las Compañías Corruptas 53
De Satanás y de Sus Fuerzas Demoníacas
(*el Alcoholismo, las Apuestas, los Narcóticos,
el Ocultismo, etc.*) 55
Para los Seres Amados que Están Involucrados en Sectas 58
De los Malos Hábitos 61
De la Depresión 63

Comunión:

Para Recibir a Jesús como Señor y Salvador 65
Por la Salvación (General) 66
Por la Salvación (Específica) 67
Para Recibir la Plenitud del Espíritu Santo 69
Una Confesión de Perdón para el Creyente 70
Para Renovar la Comunión 71

General:

Por Valor y Denuedo 73
Para Mejorar la Comunicación con un Ser Amado 75
Por los que Están en Procesos Legales 77
Para Encontrar Empleo 79
Para Hallar Favor Ante los Demás 81
Por Protección y Seguridad 83
Por los Solteros 85
Por la Soltera que Confía en que Dios le Dará un Esposo 87
Por el Soltero que Confía en que Dios le Dará una Esposa 88
Por una Vida Controlada por el Espíritu 89
Para Tener Victoria Sobre el Temor 91
Para Tener Victoria Sobre la Glotonería 93

Salud:

Por la Salud y la Sanidad 95
Oración por los que *Llaman* Imposibilitados 97

El Hogar:

Por los Hijos 100
Por el Hogar 102
Por los Esposos 103

Por un Matrimonio Armonioso   105
Por la Compatibilidad en el Matrimonio   106
Intercesión por un Matrimonio en Dificultades   108
Oración de la Esposa   110

Finanzas:
Para Recibir al Ciento por Uno   112
Por Tu Prosperidad y la de Otros   113
La Consagración de Tus Diezmos   115

Prólogo

Las oraciones que contiene este libro pueden ser usadas por ti, para tu propio beneficio y el de otros. Son materia del corazón. Decídete a alimentar tu espíritu con estas oraciones, y a permitir que el Espíritu Santo haga de la Palabra una realidad en tu corazón. Tu espíritu será vivificado en la Palabra de Dios, y comenzarás a pensar como Dios piensa y a hablar como El habla. Te encontrarás absorto en el estudio de Su Palabra (la Biblia), cada vez más hambriento de ella. El Padre recompensa a quienes lo buscan diligentemente (Hebreos 11:6).

Medita en las citas bíblicas que acompañan a las oraciones. Claro que éstas no son las únicas citas bíblicas relacionadas a estos temas, pero son un comienzo.

Estas oraciones son para ayudarte a conocer mejor a tu Padre Celestial y Su Palabra. Este conocimiento no sólo afectará tu vida, sino que también afectará a otros a través de ti, porque podrás aconsejar correctamente a quienes te lo pidan. Pero si no puedes aconsejar con la Palabra, de nada sirve tu consejo. Camina en el consejo de Dios, y valora Su sabiduría (Salmos 1, Proverbios 4:7-8). Todo el mundo busca algo en que pueda confiar. Cuando alguien necesitado acuda a ti, tú podrás mostrarle la respuesta a su problema en la Palabra de Dios. Serás victorioso, digno de confianza y poseedor de respuestas, porque tu corazón estará firme y establecido en Su Palabra (Salmos 112).

Una vez que empieces a ahondar en la Palabra de Dios, debes comprometerte a ordenar tus caminos (Salmos 50:23), incluyendo tu forma de conversar. En esto consiste lo que la Palabra llama ser "un hacedor de la palabra". La fe siempre hace una buena confesión. Tus oraciones, por ti mismo, o por otras personas, no serán eficaces, si después de orar, hablas negativamente del asunto (Mateo 12:34-37). Esto es lo que se

7

llama ser de doble ánimo, y un hombre de doble ánimo no recibe nada de Dios (Santiago 1:6-8).

En Efesios 4:29-30 está escrito: *"Ninguna palabra corrompida salga de vuestra boca, sino la que sea buena para la necesaria edificación, a fin de dar gracia a los oyentes. Y no contristéis al Espíritu Santo de Dios, con el cual fuisteis sellados para el día de la redención".*

Permite que las siguientes palabras penetren hasta lo más profundo de tu ser. Nuestro Padre tiene mucho que decir acerca de ese pequeño miembro que llamamos la lengua (Santiago 3). Si criticas, si causas división, si te preocupas o no perdonas, le das al diablo entrada. Pon fin a las palabras deshonestas y necias (Efesios 4:27; 5:4). Tú debes ser una bendición para otros (Gálatas 6:10).

Declara la respuesta, no el problema. LA RESPUESTA ESTA EN LA PALABRA DE DIOS. Debes de tener conocimiento de ella: un conocimiento que viene por revelación (I Corintios 2:7-16).

Como intercesor, únete en oración con otros. La oración unida es una arma poderosa que el Cuerpo de Cristo debe utilizar.

Cuando ores, cree que recibes. Declara la Palabra. Mantente firme en tu confesión de fe en la Palabra de Dios. Permite que tu espíritu ore por medio del Espíritu Santo. Alaba a Dios por la victoria *ahora*, antes de que haya alguna manifestación. **Anda por fe y no por vista** (II Corintios 5:7).

No te dejes mover por circunstancias adversas. Cuando Satanás te rete, resístelo, firme en la fe, permitiendo que la paciencia haga su obra perfecta (Santiago 1:4). Toma la espada del Espíritu y el escudo de la fe, y apaga todos los dardos de fuego (Efesios 6:16). Jesús tomó tu lugar; hizo toda la obra sustitutiva por ti. Ahora Satanás es un enemigo derrotado, Jesús lo venció (Colosenses 2:14-15). Satanás fue vencido por la sangre del Cordero y la palabra de nuestro testimonio (Apocalipsis 12:11). Pelea la buena batalla de la fe (I Timoteo 6:12). Resiste al enemigo y permanece firme en la fe contra su ataque — arraigado, establecido, fuerte y decidido (I Pedro 5:9). Declara la Palabra con valor y denuedo.

Tu deseo debe ser agradar y bendecir al Padre. Cuando ores conforme a Su Palabra, El oirá gozoso que tú, Su hijo, estás viviendo de acuerdo a la verdad (III Juan 4).

¡Qué emocionante es saber que las oraciones de los santos se hallan siempre delante del trono de Dios! (Apocalipsis 5:8), ¡Aleluya!

Dale gracias a Dios por Su Palabra, y alábalo porque la oración en el nombre de Jesús no tiene límites. Y este poder en la oración le pertenece a cada hijo de Dios. Por lo tanto, corre con paciencia la carrera que tienes por delante, puestos los ojos en Jesús, el autor y consumador de tu fe (Hebreos 12:1-2). La Palabra de Dios tiene poder para edificarte y darte la herencia que te corresponde entre todos los escogidos de Dios (Hechos 20:32).

¡Comprométete a orar, y a orar correctamente, acercándote al trono de Dios con tu boca llena de Su Palabra!

Introducción

"La oración eficaz del justo puede mucho" (Santiago 5:16).
Orar es tener comunión con el Padre: un contacto vivo y personal con el Dios que es más que suficiente. Debemos estar en comunión constante con El, *"Porque los ojos del Señor están sobre los justos, Y sus oídos atentos a sus oraciones"* (I Pedro 3:12).

La oración no debe ser un formalismo religioso carente de poder. Debe ser eficaz y acertada, y debe producir *resultados.* Dios apresura Su Palabra para ponerla por obra (Jeremías 1:12).

Para que la oración produzca resultados, deberá basarse en la Palabra de Dios. *"Porque la palabra de Dios es viva y eficaz, y más cortante que toda espada de dos filos; y penetra hasta partir el alma y el espíritu, las coyunturas y los tuétanos, y discierne los pensamientos y las intenciones del corazón"* (Hebreos 4:12).

La oración es la Palabra de Dios "viva" en nuestra boca. Como sabemos que la fe agrada a Dios, nuestra boca debe producir palabras de fe (Hebreos 11:6). En oración, le mostramos a El Su Palabra, y nuestro Padre Se ve a Sí mismo en Su Palabra.

La Palabra de Dios es nuestro contacto con El. Orando, lo hacemos recordar Su Palabra (Isaías 43:26), poniendo una demanda sobre Su capacidad en el nombre de nuestro Señor Jesús. Le recordamos que El suple todas nuestras necesidades de acuerdo con Sus riquezas en gloria en Cristo Jesús (Filipenses 4:19). Esta Palabra no vuelve a El vacía — sin producir efecto — sino que realiza lo que El quiere y se propone, y prosperará en aquello para lo que fue enviada por El (Isaías 55:11). ¡Aleluya!

Dios *no* nos dejó sin saber cuáles son sus pensamientos y caminos. Tenemos Su Palabra, Su garantía. Dios nos indica que clamemos a El, porque El nos responderá y nos mostrará cosas grandiosas y maravillosas (Jeremías 33:3). La oración debe ser algo emocionante, no gravoso.

Dios obra cuando alguien ora con fe, creyendo. Pero se necesita que alguien ore. El dice que Sus ojos contemplan toda la tierra, buscando mostrar Su poder a favor de los que tienen un corazón perfecto para con El (II Crónicas 16:9). Nosotros estamos sin mancha (Efesios 1:4). Somos Sus propios hijos (Efesios 1:5). Somos Su justicia en Cristo Jesús (II Corintios 5:21). El nos dice que nos acerquemos confiadamente a Su trono para alcanzar misericordia y hallar gracia para el oportuno socorro — una ayuda apropiada, en el momento perfecto (Hebreos 4:16). ¡Alabado sea el Señor!

La armadura de la oración es para todo creyente, para cada miembro del cuerpo de Cristo que desee vestirse de ella y caminar en ella, porque las armas de nuestra batalla *no son carnales,* sino poderosas en Dios para la destrucción de las fortalezas del enemigo (Satanás, el dios de este mundo, y todas sus fuerzas demoníacas). La guerra espiritual toma lugar en la oración (II Corintios 10:4; Efesios 6:12).

Hay muchas formas de oración: oraciones de acción de gracias y de alabanza, oraciones de consagración y adoración, y oraciones que cambian *las cosas* (no a Dios). Todo tipo de oración requiere de tiempo para desarrollar intimidad con el Padre.

En Efesios 6 se nos ordena que tomemos la espada del Espíritu, que es la Palabra de Dios: *"orando en todo tiempo con toda oración y súplica en el Espíritu"* (Efesios 6:18).

En I Timoteo capítulo 2 se nos exhorta: *"que se hagan rogativas, oraciones, peticiones y acciones de gracias, por todos los hombres"* (I Timoteo 2:1). **Tenemos la responsabilidad de orar.**

La oración debe ser el fundamento de todo lo que emprenda el cristiano. Todo fracaso es un fracaso en la oración. *No* debemos ser ignorantes de la Palabra de Dios. El desea que los suyos tengan éxito, estén llenos de un conocimiento pleno, profundo y claro de Su voluntad (Su Palabra), y lleven fruto en toda buena obra (Colosenses 1:9-13). Entonces le podremos dar honor y gloria a El (Juan 15:8). El desea que sepamos orar, porque "*la oración de los rectos es su gozo*" (Proverbios 15:8).

Nuestro Padre no nos ha dejado desamparados. No sólo nos ha dado Su Palabra, sino también nos ha dado el Espíritu Santo, quien nos ayuda en nuestra debilidad cuando no sabemos orar como conviene (Romanos 8:26). ¡Gloria a Dios! Nuestro Padre ha proporcionado a Su pueblo todo lo necesario para asegurar una victoria completa y total en esta vida, en el nombre de nuestro Señor Jesús (I Juan 5:3-5).

¡Podemos orar al Padre en el nombre de Jesús y por medio del Espíritu, de acuerdo con la Palabra!

Una manera sumamente efectiva y acertada de orar es usar la Palabra de Dios en la oración en forma determinada y específica. Jesús dijo: "*Mis palabras, que son espirituales, dan vida que permanece para siempre*" (Juan 6:63, *La Biblia al Día*).

Cuando Jesús se enfrentó a Satanás en el desierto, dijo: "*Escrito está . . . Escrito está . . . Escrito está*". Debemos vivir, sostenernos y alimentarnos de toda palabra que procede de la boca de Dios (Mateo 4:4).

El Espíritu Santo, por medio de Santiago, nos dice que no tenemos porque no pedimos. Pedimos y no recibimos porque pedimos mal (Santiago 4:2-3). Debemos prestar atención ahora a esa advertencia, porque es necesario que lleguemos a ser expertos en la oración, usando bien la Palabra de verdad (II Timoteo 2:15).

Usar la Palabra en la oración *no es* sacarla de su contexto; Su Palabra (en nosotros) es la clave para recibir la respuesta a la oración — a la oración que trae resultados. El tiene poder para hacer muchísimo más de lo que nosotros pedimos o siquiera pensamos, por medio de Su poder que actúa en nosotros (Efesios 3:20). El poder radica en la Palabra de Dios que está ungida por el Espíritu Santo. El Espíritu de Dios no nos aleja de la Palabra, porque la Palabra procede del Espíritu de Dios. Podemos, en el nombre de Jesús, aplicar esa Palabra a nuestra situación y a la situación de otros (haciendo esto no se está quitando ni añadiendo a la Palabra). Podemos aplicar la Palabra al **presente** — a aquellas cosas, circunstancias y situaciones a las cuales nos enfrentamos **ahora.**

Pablo oraba en una forma concreta y específica. En el primer capítulo de Efesios, de Filipenses, de Colosenses y de II Tesalonicenses se presentan ejemplos de cómo oraba Pablo por los creyentes. Hay muchos otros ejemplos. Puedes buscarlos. Pablo escribió bajo la inspiración del Espíritu Santo. ¡Nosotros podemos utilizar hoy esas oraciones dadas por el Espíritu!

En II Corintios 1:11, II Corintios 9:14 y Filipenses 1:4, vemos ejemplos de cómo los creyentes oraban los unos por los otros — *con gozo* oraban primero por las necesidades de otros. Ciertamente, nuestra fe obra por medio del amor (Gálatas 5:6). Crecemos espiritualmente cuando salimos de nosotros mismos para ayudar a los demás, orando por ellos y con ellos, y ofreciéndoles la Palabra de vida (Filipenses 2:16).

El hombre es espíritu, tiene alma y vive en un cuerpo (I Tesalonicenses 5:23). Para que operen con éxito, cada una de estas tres partes debe recibir la alimentación adecuada. El alma o intelecto se alimenta de comida intelectual que produce fortaleza intelectual. El cuerpo se alimenta con comida física que produce fortaleza física. El espíritu, el corazón u hombre interior, el verdadero yo, la parte que ha nacido de nuevo en Cristo Jesús, debe alimentarse de la comida espiritual, que es la Palabra de Dios, para producir y desarrollar la fe. Cuando nos alimentamos abundantemente de la Palabra de Dios, nuestra mente se renueva con esa Palabra, y tenemos una actidud mental y espiritual siempre nueva y viva (Efesios 4:23-24).

De igual manera, debemos presentar nuestro cuerpo como un sacrificio vivo, santo y agradable a Dios (Romanos 12:1), y no dejar que ese cuerpo nos domine, sino sujetarlo al hombre espiritual (I Corintios 9:27). La Palabra de Dios es sanidad y salud para todo nuestro cuerpo (Proverbios 4:22). Por lo tanto, la Palabra de Dios afecta a todas las partes de que estamos compuestos: espíritu, alma y cuerpo. Nos unimos vitalmente al Padre, a Jesús y al Espíritu Santo; nos hacemos uno con Ellos (Juan 16:13-15, Juan 17:21, Colosenses 2:10).

La Palabra de Dios, el alimento espiritual, echa raíces en nuestro corazón, es formada por la lengua y sale por nuestra boca. Esta Palabra tiene un poder creativo. La Palabra hablada obra cuando la confesamos y le añadimos acción.

Sean hacedores de la Palabra, y no sólo oidores, engañándose a ustedes mismos (Santiago 1:22). La fe sin obras, o sin acción correspondiente, está *muerta* (Santiago 2:17). No seas de los que aceptan la Palabra de Dios en sus mentes, o sea, que están de acuerdo en que la Biblia es cierta, pero nunca actúan conforme a lo que dice. La fe verdadera consiste en actuar de acuerdo con la Palabra de Dios **AHORA**. No podemos edificar nuestra fe sin poner en práctica la Palabra. No podemos desarrollar una vida de oración eficaz que sólo consista de palabras vacías; necesitamos que la Palabra de Dios esté realmente presente en nuestra vida. Debemos mantenernos firmes en nuestra *confesión* de la veracidad de la Palabra. Nuestro Señor Jesús es el Sumo Sacerdote de nuestra confesión (Hebreos 3:1), y El es la Garantía de un pacto mejor, un pacto de mayor excelencia y beneficio (Hebreos 7:22).

La oración no hace que la fe obre, sino que es la fe la que hace que obre la oración. Por consiguiente, todo problema en la oración es un problema de dudas — dudas de la integridad de la Palabra y de la habilidad de Dios para respaldar Sus promesas o declaraciones escritas en Su Palabra.

Podemos pasar muchas horas infructíferas en oración si nuestro corazón no ha sido preparado de antemano. La preparación del corazón (del espíritu) viene por medio de la meditación en la Palabra del Padre, la meditación de lo que somos en Cristo, lo que El es para nosotros, y lo que el Espíritu Santo puede ser para nosotros cuando asimilemos en nuestro interior la mente de

Dios. Recordemos lo que Dios le dijo a Josué (Josué 1:8): si meditamos en la Palabra de día y de noche y hacemos conforme a todo lo que está escrito, entonces haremos prosperar nuestro camino y todo nos saldrá bien. Debemos estar atentos a la Palabra de Dios, someternos a lo que El nos dice, conservar la Palabra en el centro de nuestro corazón y apartarnos de toda conversación contraria (Proverbios 4:20-24).

La Palabra de Dios en la oración *no* es algo que se declara apresuradamente una vez y se da todo por hecho. *No* se equivoque. No hay nada "mágico" ni "manipulativo" en esto; no hay ningún modelo o fórmula para satisfacer lo que queremos o nos imaginamos en la carne. Más bien, el orar con la Palabra es mostrarle a Dios Su Palabra, confesando lo que El dice que nos pertenece.

Si decidimos no mirar las cosas que se ven, sino mirar las que no se ven, podemos esperar Su divina inspiración, porque las cosas que se ven están sujetas a cambio (II Corintios 4:18).

La oración basada en la Palabra se eleva por encima de los sentidos, hace contacto con el Autor de la Palabra y pone en movimiento Sus leyes espirituales. No es el simple hecho de decir oraciones lo que trae resultados; el pasar tiempo con el Padre, aprediendo Su sabiduría, tomando de Su fuerza, llenándonos de Su paz y saturándonos en Su amor es lo que hace que nuestras oraciones obtengan resultados. ¡Gloria al Señor!

Carolyn East

Oraciones de Alabanza

"*Engrandeced a Jehová conmigo, Y exaltemos a una su nombre*" (Salmos 34:3).

"*En cuanto a Dios, perfecto es su camino, Y acrisolada la palabra de Jehová; Escudo es a todos los que en él esperan*" (Salmos 18:30).

"*Sean gratos los dichos de mi boca y la meditación de mi corazón delante de ti, Oh Jehová, roca mía, y redentor mío*" (Salmos 19:14).

"*Ella [tu palabra] es mi consuelo en mi aflicción, Porque tu dicho me ha vivificado*" (Salmos 119:50).

"*Para siempre, oh Jehová, Permanece tu palabra en los cielos*" (Salmos 119:89).

"*Lámpara es a mis pies tu palabra, Y lumbrera a mi camino*" (Salmos 119:105).

"*La suma de tu palabra es verdad, Y eterno es todo juicio de tu justicia*" (Salmos 119:160).

"*Me postraré hacia tu santo templo, Y alabaré tu nombre por tu misericordia y tu fidelidad; Porque has engrandecido tu nombre, y tu palabra sobre todas las cosas*" (Salmos 138:2).

"*Suba mi oración delante de ti como el incienso, El don de mis manos como la ofrenda de la tarde. Pon guarda a mi boca, oh Jehová; Guarda la puerta de mis labios*" (Salmos 141:2-3).

"*El que sacrifica alabanza me honrará; Y al que ordenare su camino, Le mostraré la salvación de Dios*" (Salmos 50:23).

"*Sea llena mi boca de tu alabanza, De tu gloria todo el día*" (Salmos 71:8).

"Porque mejor es tu misericordia que la vida; Mis labios te alabarán. Así te bendeciré en mi vida; En tu nombre alzaré mis manos" (Salmos 63:3-4).

"Pues tus testimonios son mis delicias Y mis consejeros" (Salmos 119:24).

Oraciones de Alabanza — tomadas de la Biblia, versión Reina-Valera, Revisión 1960.

Confesiones Personales de Fe

"**Jesús es Señor de mi espíritu, mi alma y mi cuerpo**" (Filipenses 2:9-11).

"**Jesús me ha sido hecho sabiduría, justificación, santificación y redención. Todo lo puedo en Cristo que me fortalece**" (I Corintios 1:30; Filipenses 4:13).

"**El Señor es mi pastor. Nada me faltará. Mi Dios suplirá todas mis necesidades conforme a sus riquezas en gloria en Cristo Jesús**" (Salmos 23; Filipenses 4:19).

"**No me inquieto ni tengo ansiedad por nada. No me afano**" (Filipenses 4:6; I Pedro 5:6-7).

"**Yo soy el cuerpo de Cristo. Fui redimido de la maldición porque Jesús llevó mis enfermedades y cargó mis dolencias en su propio cuerpo. Por sus llagas yo estoy curado. Prohíbo a toda enfermedad y dolencia que operen en mi cuerpo. Todos los órganos, todos los tejidos de mi cuerpo, funcionan dentro de la perfección en que Dios los creó para que funcionaran. Honro a Dios y le traigo gloria a El en mi cuerpo**" (Gálatas 3:13; Mateo 8:17; I Pedro 2:24; I Corintios 6:20).

"**Tengo la mente de Cristo y mantengo en mí los pensamientos, los sentimientos y las intenciones de Su corazón**" (I Corintios 2:16).

"**Creo y no dudo. Me mantengo firme en mi confesión de fe. Decido caminar por fe y poner en práctica la fe. Mi fe viene del oir, y el oir por la Palabra de Dios. Jesús es el autor y consumador de mi fe**" (Hebreos 4:14; Hebreos 11:6; Romanos 10: 17; Hebreos 12:2).

"**El amor de Dios ha sido derramado en mi corazón por el Espíritu Santo y Su amor permanece abundantemente en** mí. Me mantengo en el reino de la luz, en el amor, en la Palabra, y el maligno no me puede tocar" (Romanos 5:5; I Juan 4:16; I Juan 5:18).

"Hollaré serpientes y escorpiones y todo el poder del enemigo. Tomo mi escudo de fe y apago todos sus dardos de fuego. Mayor es aquel que está en mí que el que está en el mundo" (Salmos 91:13; Efesios 6:16; I Juan 4:4).

"Soy liberado del presente mundo malvado. Estoy sentado junto con Cristo en lugares celestiales. Mi residencia está en el reino del Hijo amado de Dios. La ley del Espíritu de vida en Cristo Jesús me ha liberado de la ley del pecado y de la muerte" (Gálatas 1:4; Efesios 2:6; Colosenses 1:13; Romanos 8:2).

"*No* temo porque Dios me hado un espíritu de poder, de amor y de dominio propio. Dios está conmigo" (II Timoteo 1:7; Romanos 8:31).

"Yo escucho la voz del Buen Pastor. Escucho la voz de mi Padre, y no seguiré la voz de un extraño. Le entrego al Señor mis obras. Se las encomiendo y se las confío totalmente a El. El hará que mis pensamientos estén de acuerdo con Su voluntad, y así serán afirmados mis planes y tendrán éxito" (Juan 10:27: Proverbios 16:3).

"He vencido al mundo porque soy nacido de Dios. Represento al Padre y a Jesús. Soy un miembro útil del cuerpo de Cristo. Soy hechura suya, creado de nuevo en Cristo Jesús. Mi Padre Dios está obrando todo el tiempo eficazmente en mí para producir así el querer como el hacer, por Su buena voluntad" (I Juan 5:4-5; Efesios 2:10; Filipenses 2:13).

"Permito que la Palabra more en mí abundantemente. El que comenzó en mí una buena obra, la perfeccionará hasta el día de Cristo" (Colosenses 3:16; Filipenses 1:6).

Por Nuestro Presidente y Nuestro Gobierno

"Padre, en el nombre de Jesús te damos gracias por nuestra nación y por su gobierno. Levantamos en oración ante Ti a los hombres y a las mujeres que se hallan en posiciones de autoridad. Oramos e intercedemos por el Presidente, los Representantes, los Senadores, los Jueces de nuestra tierra, los policías, así como por los gobernadores y alcaldes, y por todos aquéllos que se hallan en autoridad sobre nosotros de cualquier manera. Te rogamos que el Espíritu del Señor repose sobre ellos.

"Creemos que ha entrado habilidad y sabiduría divina en el corazón de nuestro Presidente y que ese conocimiento le es agradable. La discreción vigila sobre él; el entendimiento lo guarda y lo libra del camino del mal y de los hombres malignos.

"Padre, te pedimos que rodees al Presidente de hombres y mujeres cuyos corazones y oídos estén atentos a los consejos divinos y que hagan lo que es recto ante Tus ojos. Creemos que Tú harás que sean hombres y mujeres íntegros, que actúen con obediencia respecto a nosotros, para que podamos llevar una vida pacífica en toda santidad y honestidad. Oramos porque los rectos permanezcan en nuestro gobierno . . . que hombres y mujeres intachables e íntegros ante Tus ojos, Padre, permanezcan en esas posiciones de autoridad; pero pedimos que los malignos sean arrancados de nuestro gobierno, y que los traicioneros sean desarraigados.

"Tu Palabra declara que es 'bienaventurada la nación cuyo Dios es Jehová'. Recibimos Tu bendición, Padre; Tú eres nuestro refugio y fortaleza en tiempos de tribulación (de carestía, de pobreza y de desesperación). Por lo tanto, declaramos con nuestra boca que Tu pueblo habita seguro en esta tierra y que *prosperamos* abundantemente. ¡Somos más que vencedores por medio de Cristo Jesús!

"Tu Palabra dice que el corazón del rey está en la mano del Señor, y que Tú lo inclinas en la dirección que quieres. Creemos que el corazón de nuestro dirigente está en Tu mano y que sus decisiones son dirigidas por el Señor.

"Te damos gracias porque las buenas nuevas del Evangelio son anunciadas en nuestra tierra. La Palabra del Señor prevalece y crece poderosamente en el corazón y en la vida del pueblo. Te damos gracias por esta tierra y por los dirigentes que nos has dado, en el nombre de Jesús.

"¡Jesús es Señor sobre nuestra nación!"

CITAS BIBLICAS:

I Timoteo 2:1-3

Proverbios 2:10-12,21,22

Salmos 33:12

Salmos 9:9

Deuteronomio 28:10-11

Romanos 8:37

Proverbios 21:1

Hechos 12:24

21

Por las Naciones y los Continentes

"Padre, en el nombre de Jesús traemos ante Ti a la nación (o continente) de _____ y a sus dirigentes. Padre, Tú dices en Tu Palabra que castigas a los reyes por amor a nosotros, para que podamos vivir una vida tranquila, en toda santidad y honestidad.

"Creemos que una sabiduría hábil y divina ha entrado en el corazón de los dirigentes de _____ y que el conocimiento les es agradable; que la discreción vigile sobre ellos y la comprensión los libre de los hombres malignos y de toda maldad.

"Pedimos que los rectos permanezcan en este gobierno . . . que hombres y mujeres íntegros, intachables y completos delante de Tus ojos, permanezcan; pero pedimos que los malignos y traicioneros en este gobierno sean desarraigados. Oramos que aquéllos que están en autoridad sepan "aventar" (como se hace con el trigo) a los malvados de entre los buenos; que hagan pasar la trilladora sobre ellos para separar la paja del trigo. Porque, como declara la Biblia, la bondad y la misericordia, la verdad y la fidelidad, conservan a los que se hallan en puestos de autoridad, y sus cargos permanecen por la lealtad del pueblo.

"Confesamos y creemos que las decisiones tomadas por los dirigentes son divinamente orientadas por Ti, Padre, y que sus bocas no deben prevaricar en juicio. Por lo tanto, declaramos que los dirigentes son hombres y mujeres con discernimiento, comprensión y conocimiento, de manera que la estabilidad de _____ permanezca por largo tiempo. Oramos para que los justos firmes estén en puestos de autoridad en _____, de manera que el pueblo se pueda regocijar. Padre, sabemos que es una abominación para Ti y para los hombres que los dirigentes obren con maldad. Oramos para que sus cargos estén fundados firmemente sobre la justicia, que labios rectos y justos sean el deleite de los que están en autoridad y que amen a los que hablan con rectitud.

Creemos que las buenas nuevas del Evangelio son proclamadas en esta tierra. Te damos gracias por los obreros de la cosecha que proclaman en _____ _____ Tu Palabra — que Jesús es el Señor. Te damos gracias por levantar intercesores que oren por _____ _____ en el nombre de Jesús. Amén".

CITAS BIBLICAS:

Salmos 105:14	Proverbios 28:2
Proverbios 2:10-15	Proverbios 29:2
Proverbios 2:21-22	I Timoteo 2:1-2
Proverbios 20:26,28	Hechos 12:24
Proverbios 21:1	Salmos 68:11
Proverbios 16:10,12,13	

Por los Sistemas Escolares

(Autoridades, Hijos y Padres)

"Padre, te damos gracias que la exposición de Tu Palabra alumbra. Gracias porque apresuras Tu Palabra para ponerla por obra. Padre, traemos ante Ti al (a los) sistema(s) escolar(es) de _____ y a los hombres y mujeres de _____ quienes están en posiciones de autoridad dentro del (de los) sistema(s) escolar(es).

"Creemos que una sabiduría hábil y divina ha entrado en sus corazones, y que Tu conocimiento les es grato. La discreción vigila sobre ellos, y el entendimiento los guarda del camino del mal y de los hombres malignos. Oramos porque los hombres y mujeres íntegros, irreprensibles y sinceros ante Tus ojos, permanezcan en estas posiciones; pero que los impíos sean arrancados y los engañadores desarraigados, en el nombre de Jesús. Padre, te damos gracias porque colocas en estas posiciones a personas **nacidas de nuevo y llenas del Espíritu.**

"Padre, traemos a nuestros niños y a nuestros jóvenes de _____ ante Ti. Declaramos con denuedo y confianza Tu Palabra, Padre, que nosotros y los de nuestras casas somos salvos en el nombre de Jesús. Somos redimidos de la maldición de la ley porque Jesús fue hecho maldición por nosotros. **Nuestros hijos e hijas no son entregados a otro pueblo.** Disfrutamos a nuestros hijos, y sabemos que, en el nombre de Jesús, ellos no irán al cautiverio.

"En nuestro deber como padres, instruímos a nuestros hijos en el camino por donde deben andar, para que cuando sean viejos no se aparten de él.

"Padre, nuestros hijos se apartan de todo cuanto pudiera ofenderte y deshonrar el nombre de Cristo. Caminan como hijos de Dios irreprensibles, sin engaño, inocentes y sin mancha. Sin contaminarse de esta generación perversa y malvada, extienden sus manos al mundo entero, ofreciéndole la Palabra de vida. Gracias, Padre, porque Tú les das conocimiento y habilidad en toda ciencia y sabiduría, y les das favor de quienes los rodean.

"Padre, oramos e intercedemos para que los jóvenes _____ _____, sus padres _____ _____ y los dirigentes del (de los) sistema (s) escolar(es) de _____ se aparten de influencias corruptas y contaminantes. Pedimos que desechen todo lo que pudiera contaminar y profanar sus espíritus, mentes y cuerpos. Confesamos que rechazan la inmoralidad y toda ligereza sexual, y que huyen de la impureza en pensamiento, palabra u obra. Viven y se comportan honorable y decorosamente, como si estuvieran siempre a plena luz del día. Confesamos y creemos que rechazan los apetitos juveniles y que huyen de ellos, en el nombre de Jesús.

"SATANAS, TE HABLAMOS EN EL NOMBRE DE JESUS. TE ATAMOS A TI, A LOS PRINCIPADOS, A LAS POTESTADES, A LOS GOBERNADORES DE LAS TINIEBLAS Y A LAS HUESTES ESPIRITUALES DE MALDAD EN LAS REGIONES CELESTES. DESTRUIMOS TUS FORTALEZAS USANDO LAS PODEROSAS ARMAS QUE DIOS NOS HA PROPORCIONADO EN EL NOMBRE DE JESUS. ATAMOS ESE ESPIRITU CEGADOR DEL ANTICRISTO. ATAMOS TODO ESPIRITU DE OCULTISMO: ASTROLOGIA, BRUJERIA, Y TODO DEMONIO FAMILIAR. ATAMOS LA INMORALIDAD SEXUAL, LA IDOLATRIA, LA OBSCENIDAD Y LA PROFANIDAD. ATAMOS A LOS ESPIRITUS DEL ALCOHOL, DE LA NICOTINA Y DE LAS DROGAS. ATAMOS A LA SABIDURIA MUNDANA EN TODAS SUS FORMAS: TODO LO QUE SE OPONGA A LA VERDAD. ATAMOS TODO ESPIRITU DE DESTRUCCION, ENGAÑO Y ROBO. QUEDAN DESATADOS DE LA MISION QUE LES FUE ENCOMENDADA EN CONTRA DE _____. EN EL NOMBRE DE JESUS, ELLOS SE ESCAPAN DE LA TRAMPA DEL DIABLO QUE LOS HA MANTENIDO CAUTIVOS.

"Comisionamos a los espíritus ministradores que vayan a vigilar la zona y que dispersen las fuerzas de las tinieblas.

"Padre, te damos gracias de que en Cristo se hallan escondidos y almanacenados todos los tesoros de la sabiduría divina (una profunda comprensión de Tus caminos e intenciones), y todas las riquezas del conocimiento e iluminación espiritual. Todo esto nos pertenece porque nosotros caminamos en El.

"Te alabamos, Padre, porque veremos a _____ _____ andar por los caminos de santidad y virtud, dando reverencia a Tu nombre. Los que yerran en su espíritu llegarán a comprender, y los que murmuran descontentos aceptarán instrucción en el Camino para hacer Tu voluntad, Jesús, y realizar Tus propósitos en sus vidas, porque Tú ocupas el primer lugar en sus corazones. Con nuestra fe rodeamos a _____ _____.

"Gracias, Padre, porque Tú eres el Dios que libera. Gracias porque las buenas nuevas del Evangelio son proclamadas por todo(s) nuestro(s) sistema(s) escolar(es). Gracias porque sabemos que estás enviando intercesores que confían firmemente en Tu Palabra y obreros de la cosecha, predicadores de Tu Palabra, en el nombre de Jesús. ¡Gloria a Dios!"

CITAS BIBLICAS:

Salmos 119:130

Jeremías 1:12

Proverbios 2:10-12

Proverbios 2:21-22

Hechos 16:31

Gálatas 3:13

Deuteronomio 28:32,41

Proverbios 22:6

Filipenses 2:15-16

Daniel 1:17,9

II Timoteo 2:21

II Corintios 7:1

I Corintios 6:18

Romanos 13:13

Efesios 5:4

II Timoteo 2:22

Mateo 18:18

II Timoteo 2:26

Hebreos 1:14

Colosenses 2:3

Isaías 29:23-24

I Juan 2:17

I Juan 5:21

Por el Cuerpo de Cristo

"Padre, oramos y confesamos Tu Palabra sobre el cuerpo de Cristo. Te rogamos que sus miembros sean llenos del pleno (profundo y claro) conocimiento de Tu voluntad en toda sabiduría espiritual. Es decir, que tengan una amplia y profunda visión de Tus caminos y que tengan conocimiento y discernimiento de las cosas espirituales. Que caminen de una manera digna de Ti, Señor. Que sean plenamente agradables a Ti y que anhelen complacerte en todas las cosas. Que lleven fruto en toda buena obra y crezcan continuamente en Tu conocimiento, con una visión más plena, más profunda y más clara.

"Te rogamos que el cuerpo de Cristo se llene de todo vigor y todo poder, según la fortaleza de Tu gloria, para ejercitar todo tipo de resistencia y paciencia (perseverancia y dominio propio) con gozo, dándote gracias a Ti, Padre. Tú has capacitado a sus miembros y has hecho posible que compartan la porción que es la herencia de los santos (Tu pueblo santo) en la luz. Padre, Tú los has liberado y atraído a Ti, sacándolos de la potestad y del control de las tinieblas, y los has trasladado al reino de Tu Hijo amado. En El tienen su redención por medio de Su sangre — la redención de sus pecados.

"Padre, Tú te gozas al ver a los miembros del cuerpo de Cristo en pie, hombro con hombro, listos para la batalla, firmes, con sólido frente, constantes en su fe en Cristo. En esa fe ellos pueden apoyar toda flaqueza humana, con confianza y seguridad en Tu poder, sabiduría y bondad. Ellos caminan — regulan sus vidas y se conducen — en unión y en conformidad con El, con las raíces de su ser firme y profundamente plantadas en El, siendo edificados continuamente en El, llegando a ser cada vez más arraigados y confirmados en la fe.

"Los miembros de Tu pueblo, Padre, caminan como representantes escogidos, Tus elegidos. Son puros, santos y amados por Ti. Se revisten de una conducta caracterizada por santidad, misericordia y corazón compasivo. Tienen sentimientos de bondad, de mansedumbre y de paciencia — una paciencia incansable y sufrida que puede, con buena disposición, soportar todo lo que venga. Son amables y pacientes los unos con los otros, y si tienen diferencias (agravios o quejas), se perdonan con rapidez; así como Tú los has perdonado gratuitamente, también ellos perdonan.

"Los miembros de Tu pueblo se revisten de amor, cubriéndose con el vínculo de la perfección, uniendo todo en una armonía ideal. Permiten que la paz de Jesús gobierne siempre en sus corazones — decidiendo y solucionando en forma absoluta todas las preguntas que llegan a sus mentes — en ese estado de paz al cual han sido llamados. Son agradecidos, saben valorar y Te dan siempre a Ti la alabanza.

"Los miembros del cuerpo de Cristo permiten que la Palabra hablada por Jesús, el Mesías, encuentre hogar en sus corazones y en sus mentes. Ellos permiten que esa Palabra habite ricamente en cada uno ellos. Se enseñan, se amonestan y se instruyen entre sí en toda comprensión, inteligencia y sabiduría. Con sus corazones llenos de Tu gracia hacen melodía a Ti con cantos espirituales.

"¡Y todo lo que hacen, de palabra o de hecho, lo hacen en el nombre del Señor, en completa dependencia de Su persona, dándote alabanza a Ti, Padre, por medio de El!"

CITAS BIBLICAS:
Colosenses 1:9-14
Colosenses 2:5-7
Colosenses 3:12-17

Por Israel

"Padre, en el nombre de Jesús venimos ante Ti en oración y fe, creyendo que Tú vigilas sobre Tu Palabra para realizarla, y que ninguna Palabra Tuya regresa a Ti vacía, sino que prospera en aquello para lo cual Tú la enviaste. Por tanto, Padre, venimos valiente y confiadamente hasta Tu trono para presentar ante Ti a la nación de Israel y al pueblo judío.

"Padre, Tú dices que bendecirás a quienes bendigan a Israel. Por eso, nosotros bendecimos a esta nación y a su pueblo en el nombre de Jesús. Conforme a Tu Palabra, declaramos: *¡Oh Israel, espera en el Señor, porque en El hay misericordia y compasión, y con El hay redención abundante! Canta alabanzas, porque el Señor Te ha consolado. El ha redimido a Jerusalén. ¡Levántate, resplandece con la gloria del Señor! ¡Tu luz ha llegado y la gloria del Señor se ha alzado sobre Ti! Tus hijos serán conocidos entre las naciones y tus descendientes en medio de los pueblos. Todos los que te vean sabrán y reconocerán que tú eres el pueblo que el Señor ha bendecido. He aquí que tu salvación viene en la persona del Señor Jesús.*

"Padre, te alabamos porque el pueblo de Israel volverá y te buscará. Sabrá que Jesús es del linaje de David, su Rey de reyes. En estos últimos días vendrá a Ti y a Tu bondad, Señor. Gracias, Padre, porque los hijos de Israel confesarán que Jesús es el Cristo, el Mesías, el Hijo de Dios venido en la carne. Creemos y confesamos que sabrán que Cristo, el Mesías, es la garantía de un pacto mejor, más poderoso, más excelente y de más beneficio.

"El cuerpo de Cristo incita a los judíos, haciéndoles sentir celo, de tal manera que busquen apropiarse de los beneficios de las buenas nuevas del Evangelio, y de que comprendan que Jesús es el Camino. Te damos gracias porque el pueblo judío no persistirá en su incredulidad y desobediencia, sino que será injertado.

Sabemos que Tú, oh Dios, tienes el poder para injertarlos de nuevo.

"Padre, Tú eres bondadoso y misericordioso, y los hijos de Israel, tal como está escrito en Tu Palabra, saldrán del exilio espiritual del pecado y de la maldad. Entrarán en su tierra con gozo y paz, guiados por el Señor y Su Palabra. Gracias, Padre, en el nombre de Jesús".

CITAS BIBLICAS:

Jeremías 1:12	Isaías 61:9
Isaías 55:11	Oseas 3:5
Génesis 12:3	Hebreos 7:22
Salmos 130:7	Romanos 11:14,23
Isaías 52:9	Isaías 55:12
Isaías 60:1	Mateo 18:18

Por los Ministros

"Padre, en el nombre de Jesús oramos y declaramos que el Espíritu del Señor — el espíritu de sabiduría y de comprensión, el espíritu de consejo y de poder, y el espíritu de conocimiento — descansará sobre _____ _____. Te rogamos que cuando Tu Espíritu repose sobre _____ avive su entendimiento. Sabemos que Tú Señor lo has ungido y le has dado las cualidades necesarias para predicar el Evangelio a los humildes, a los pobres, a los ricos y a los afligidos. Tú has enviado a _____ para que sane a los quebrantados de corazón, para que proclame libertad a los que están física y espiritualmente cautivos. Lo has enviado para que abra las prisiones y los ojos de los que están prisioneros. _____ _____ será llamado sacerdote del Señor. La gente lo llamará ministro de Dios, y comerá de la riqueza de las naciones.

"Oramos y creemos que ninguna arma forjada en contra de _____ prosperará, y que toda lengua que se alce contra él para juzgarlo, será hallada en error. Te rogamos que prosperes abundantemente a _____ _____. Señor, prospéralo física, espiritual y económicamente.

"Declaramos que _____ _____ se mantiene firme siguiendo el modelo de enseñanzas sanas y sólidas, en toda la fe y el amor que hay en Cristo Jesús. _____ conserva con el más grande amor la Verdad preciosa que le ha sido excelentemente adaptada y encomendada por el Espíritu Santo, quien habita permanentemente en él.

"Señor, oramos y creemos que día a día _____

31

_____ recibe fuerza para hablar; que abrirá sus labios con valor y denuedo como es necesario para que llegue el Evangelio a la gente. Gracias, Señor, por esta nueva fuerza sobrehumana que le has dado.

"Confesamos, ahora mismo, que apoyaremos a _____ _____ y constantemente oraremos por él. Sólo diremos aquellas cosas buenas que edifiquen a _____. No nos permitiremos juzgarlo, sino que seguiremos intercediendo por él. Declararemos y oraremos bendiciones sobre él, en el nombre de Jesús. Gracias, Jesús, por las respuestas. ¡Aleluya!"

CITAS BIBLICAS:

Isaías 11:2-3   II Timoteo 1:13-14
Isaías 61:1,6   Efesios 6:19-20
Isaías 54:17   I Pedro 3:12

Por los Misioneros

"Padre, presentamos ante Ti a aquellos miembros del cuerpo de Cristo que están en el campo misionero llevando las buenas nuevas del Evangelio — no sólo en este país, sino también en todo el mundo. Alzamos ante Ti a aquellos miembros del cuerpo de Cristo que están sufriendo persecución o que están en prisión por sus creencias. Padre, sabemos que Tú apresuras Tu Palabra para ponerla por obra, y que Tu Palabra prosperá en aquello para lo que Tú la enviaste. Por lo tanto, declaramos Tu Palabra y establecemos Tu pacto en esta tierra. Nosotros oramos y en otros lugares son recibidas las respuestas, por medio del Espíritu Santo.

"Gracias, Padre, por revelar a Tu Pueblo la integridad de Tu Palabra. Les has enseñado que deben estar firmes, resistiendo en la fe el ataque del diablo. Tú eres su luz, su salvación, su refugio y fortaleza, Padre. Los escondes en Tu morada y los pones en alto sobre una roca. Tu voluntad es que todos prosperen, que tengan salud y que vivan en victoria. Tú liberas a los prisioneros, alimentas a los hambrientos, ejecutas justicia, rescatas y salvas.

"SATANAS, TE ATAMOS A TI Y A TODO ESPIRITU AMENAZADOR QUE QUISIERA LEVANTARSE CONTRA EL PUEBLO DE DIOS, EN EL NOMBRE DE JESUS.

"Encomendamos a los espíritus ministradores que salgan a proveer la ayuda y el socorro necesarios para estos herederos de la salvación. Ellos y nosotros nos fortalecemos con el poder del Señor, y apagamos todos los dardos del diablo en el nombre de Jesús.

"Padre, usamos nuestra fe para cubrir con Tu Palabra a estos miembros del cuerpo de Cristo. Declaramos que ninguna arma forjada contra ellos prosperará, y que toda lengua que se levante contra ellos para juzgarlos será hallada en error. Esta paz, esta seguridad, y este triunfo sobre sus enemigos, son su herencia como hijos Tuyos. Este es el derecho que obtienen de Ti, Padre, que Tú les impartes como su justificación. No temerán, ni el terror se acercará a ellos. Ningún pensamiento de destrucción los preocupará.

"Padre, Tú dices que los confirmarás hasta el fin — los mantendrás firmes, les darás fortaleza y garantizarás su reivindicación. Es decir, que Tú serás su justificación en contra de toda acusación. Ellos no estarán preocupados de antemano de cómo responderán en su defensa, ni por las palabras que usarán, porque el Espíritu Santo les enseñará en ese mismo momento lo que deben decir a los que viven en el mundo. Y sabemos que esas palabras serán sazonadas con sal.

"Encomendamos a estos hermanos y hermanas a Ti, Padre y Señor. Los ponemos bajo Tu cargo, confiándolos a Tu protección y cuidado, porque Tú eres fiel. Tú los fortaleces, los pones sobre un cimiento firme, y los guardas del maligno. Unimos nuestras voces en alabanza a Ti, oh Altísimo, y callamos al enemigo vengador. ¡Gloria al Señor! ¡Mayor es el que está en nosotros, que el que está en el mundo!"

CITAS BIBLICAS:

Jeremías 1:12	Efesios 6:10,16
Isaías 55:11	Isaías 54:14,17
I Pedro 5:9	I Corintios 1:8
Salmos 27:1,5	Lucas 12:11-12
III Juan 2	Colosenses 4:6
I Juan 5:4-5	Hechos 20:32
Salmos 146:7	II Tesalonicenses 3:3
Salmos 144:7	Salmos 8:2
Mateo 18:18	I Juan 4:4
Hebreos 1:14	

Por las Reuniones, los Seminarios y los Estudios Bíblicos

"Padre, en el nombre de Jesús confesamos abiertamente que durante (*la reunión*) Tu Palabra será presentada con denuedo, valentía y exactitud. Declaramos que las personas que escuchen Tu Palabra no podrán resistir la presentación que darán Tu(s) ministro(s) del Evangelio, pues estará llena de inteligencia, y de la sabiduría e inspiración del Espíritu Santo.

"Declaramos que, cuando sea presentada Tu Palabra, una unción del Espíritu Santo hará que la gente abra sus ojos y sus oídos espirituales, y se vuelva de las tinieblas a la luz — del poder de Satanás a Ti, Dios, haciendo a Jesús su Señor.

"Ponemos esta reunión en Tus manos, Padre; la ponemos bajo Tu cargo. Pedimos que Tu protección y Tu cuidado estén sobre los que van a escuchar y los que van a hablar en esta reunión. Encomendamos esta reunión a la Palabra — a los mandamientos, consejos y promesas de Tu favor inmerecido. Padre, sabemos que Tu Palabra fortalecerá a los asistentes y hará que se den cuenta de que son coherederos con Jesús.

"Creemos, Padre, que cuando sea presentada Tu Palabra, habrá una unción sobre (*nombre*), el orador. Creemos que él será totalmente controlado por el Espíritu de Dios, porque la Palabra de Dios, cuando es hablada, es viva y poderosa. Esta declaración de la Palabra la hace activa, operante, portadora de energía, eficaz y más cortante que una espada de dos filos. Creemos que todas las necesidades espirituales, físicas, mentales y económicas, de todas las personas, serán satisfechas.

"Te damos gracias, Padre, y Te alabamos, porque como hemos hecho nuestra petición juntos, en acuerdo, sabemos que lo que pedimos ya se nos ha concedido. ¡Que estas palabras, en forma de súplica al Señor, estén día y noche frente a El, nuestro

Dios! ¡Que El sostenga la causa y el derecho de Su pueblo en esta (*la reunión*) y cada día como se requiera! ¡Creemos que todos los pueblos de la tierra sabrán que El es Señor, es Dios y no hay otro! ¡Aleluya!"

CITAS BIBLICAS:

Santiago 5:16	Hechos 26:18
Mateo 18:19	Hechos 20:32
Efesios 6:19	Hebreos 4:12
Hechos 6:10	Filipenses 4:19
Efesios 1:18	I Reyes 8:49-60

Por la Prosperidad de los Siervos que Ministran

"Padre, cuánto te alabamos y te agradecemos por Tu Palabra. Sabemos que Tú vigilas sobre ella para hacerla realidad, y que ninguna Palabra Tuya vuelve a Ti vacía. Tu Palabra realiza lo que Te agrada y prospera en aquello para lo que la enviaste.

"Padre, en el nombre de Jesús oramos, declaramos y creemos, de acuerdo a Tu Palabra, que aquellos miembros de Tu cuerpo que han sembrado la semilla del bien espiritual en medio del pueblo, cosechan ahora de los beneficios materiales del pueblo. Señor, Tú indicaste que aquéllos que publican las buenas nuevas del Evangelio deben de vivir y obtener su sostenimiento por el Evangelio. Declaramos que Tus ministros buscan que el pueblo reciba fruto de beneficio — una cosecha de bendiciones que se acumula para ellos. Sabemos que las dádivas del pueblo son una ofrenda y sacrificio de olor fragante, aceptable a Ti, Padre, y en el cual Tú Te deleitas. Con generosidad Tú suplirás al máximo las necesidades del pueblo de acuerdo a Tus riquezas en gloria en Cristo Jesús.

"Declaramos que aquéllos que reciben instrucción en la Palabra de Dios, comparten todas las cosas buenas con sus maestros, contribuyendo a su sostén. Confesamos que Tu pueblo no se descorazonará, ni se cansará, ni desmayará. Sabemos que si no deja de actuar noble y rectamente, sin aflojar ni perder valor, en su debido tiempo y en la estación señalada, cosechará. Por lo tanto, siempre que la oportunidad se presente, el pueblo hará el bien a toda persona. Pero el pueblo no sólo será de utilidad y de provecho para otros, sino también hará lo que es espiritualmente de provecho para el pueblo mismo.

"Declaramos que Tu pueblo es una bendición, especialmente para aquéllos que son de la familia de la fe — los que pertenecen a la familia de Dios, los creyentes. Por eso, creemos y confesamos que Tu pueblo siembra con generosidad y derrama bendiciones sobre los siervos que ministran. Y así, Tu pueblo también cosechará generosamente y será bendecido, porque Tú, Dios, amas, Te complaces y valoras mucho a un dador alegre, dispuesto y que da de corazón. No abandonarás ni prescindirás de esta clase de dador. Tú, oh Dios, puedes hacer que toda gracia, todo favor y toda bendición terrenal lleguen a Tu pueblo abundantemente. Así, no importando cuáles sean las circunstancias y necesidades, ellos serán siempre autosuficientes, poseerán lo necesario para su sostén y tendrán en abundancia para dar a toda obra caritativa.

"Cuando Tu pueblo da, sus obras de justicia, bondad y benevolencia continúan y permanecen para siempre. Además, oh Dios, Tú que proporcionas la semilla al sembrador y el pan al hambriento, también proveerás y multiplicarás los recursos de Tu pueblo para sembrar y acrecentar los frutos de su santidad. De esta forma los Tuyos son enriquecidos en todas las cosas y en toda manera, para que puedan ser generosos. Sabemos que la generosidad de Tu pueblo al ser administrada por Tus maestros, traerá acción de gracias a Ti.

"Como está escrito: *'Dad, y se os dará; medida buena, apretada, remecida y rebosando darán en vuestro regazo; porque con la misma medida que medís, os volverán a medir'.* ¡Gloria a Dios!"

CITAS BIBLICAS:
Jeremías 1:12
Isaías 55:11
I Corintios 9:11,14
Filipenses 4:17-19

Gálatas 6:6-10
II Corintios 9:6-11
Lucas 6:38

A Estar Conciente de que Dios Vive en Mí

"Soy espíritu, tengo alma y vivo en un cuerpo físico. Mi espíritu es lámpara del Señor. Mi padre Dios me guía en toda verdad a través de mi espíritu. "Soy hijo de Dios, nacido del Espíritu de Dios, y lleno de Su Espíritu. Al mirar al interior de mi espíritu, escucho lo que dice mi corazón.

"El Espíritu Santo guía a mi espíritu e ilumina mi mente. Me dirige en el camino que debo seguir en todos los asuntos de la vida. Me dirige por medio de una voz interna. Los ojos de mi entendimiento son iluminados. Hay sabiduría en lo más profundo de mi ser. Su amor se perfecciona dentro de mí y tengo la unción del Santísimo.

"Cada vez estoy más conciente de las cosas espirituales. Escucho la voz de mi espíritu y obedezco lo que me ordena. Permito que mi espíritu me domine, porque no camino según la carne, sino según el espíritu. Examino las órdenes con la luz de Su Palabra. Confío en el Señor con todo mi corazón y no me apoyo en mi propio entendimiento. Encomiendo todos mis pasos a El, y El endereza mis veredas. Camino en la luz de Su Palabra.

"**Educaré, entrenaré y desarrollaré mi espíritu humano.** La Palabra de Dios no se apartará de mi boca. Meditaré en ella día y noche. Así, haré próspero mi camino y tendré buen éxito en la vida. **Soy un hacedor de la Palabra. Pongo la Palabra de Dios en primer lugar.** Mi hombre espiritual va dominando más y más.

"*¡Gracias sean dadas a Dios, que siempre hace que triunfe en Cristo!*"

CITAS BIBLICAS:

I Tesalonicenses 5:23
Proverbios 20:27
Juan 16:13
Romanos 8:14,16
Juan 3:6-7
Juan 7:37-39
Efesios 5:18
Isaías 48:17
Efesios 1:18
I Corintios 1:30

Job 38:36
I Juan 4:12
I Juan 2:20
Romanos 9:1
Romanos 8:1
Proverbios 3:5-6
Salmos 119:105
Josué 1:8
Santiago 1:22
II Corintios 2:14

A la Palabra de Dios
y a una Vida de Oración Acertada

"Padre, en el nombre de Jesús **me comprometo a caminar en la Palabra**. Sé que Tu Palabra viviendo en mí produce Tu vida en este mundo. Sé que Tu Palabra es la integridad misma — firme, segura, eterna — y confío mi vida a sus provisiones.

"Tú enviaste Tu Palabra y la pusiste en mi corazón, y yo permito que habite en mí abundando en sabiduría. Medito en ella de día y de noche, para saber actuar siempre de acuerdo a ella. La Palabra viva, la Palabra de verdad, la semilla incorruptible, habita en mi espíritu. Esta semilla está creciendo poderosamente en mí ahora, produciendo Tu naturaleza y Tu vida. Es mi consejera, mi escudo, mi adarga, mi arma poderosa en la batalla. La Palabra es una lámpara para mis pies y una luz para mi sendero. Prepara el camino delante de mí. No tropiezo porque mis pasos están ordenados por ella.

"El Espíritu Santo me dirige y me guía en toda verdad. El me da entendimiento, discernimiento y comprensión para escapar de las asechanzas del maligno.

"Padre, se que Tus oídos están abiertos a mis oraciones porque Tus ojos velan sobre los justos. **Soy una persona de oración.** Mis oraciones están arraigadas en Tu Palabra. *Sí tengo tiempo para orar*. Llevo una vida de oración ferviente, infatigable e inmutable. Con acción de gracias estoy alerta y decidido en mi oración. Soy un intercesor, un guerrero de la oración, fuerte en Tu poder. Me niego a ser cobarde, débil y sin ánimo. No me doy por vencido porque **mis oraciones prevalecen** en el nombre de Jesús.

"Me deleito en Ti y en Tu Palabra. Por eso, Tú pones Tus deseos en mi corazón. Encomiendo a Ti mi camino (mis deseos), y Tú lo haces realidad. Estoy confiado de que Tú estás poniendo en mí tanto el querer como el hacer de lo que a Ti Te agrada.

"Exalto Tu Palabra, la valoro en gran manera, le doy PRIMER lugar sobre todas las cosas. **Organizo mi horario alrededor de Tu Palabra.** Declaro que Tu Palabra es la autoridad definitiva para contestar todas las preguntas que me confrontan. Elijo estar de acuerdo con Tu Palabra, y decido estar en desacuerdo con todo pensamiento, circunstancia o condición que sea contrario a Tu Palabra. Con valor y confianza declaro que mi corazón está fijo y firme sobre el fundamento sólido: ¡La Palabra viva de Dios!"

CITAS BIBLICAS:

Hebreos 4:12	I Pedro 3:12
Colosenses 3:16	Colosenses 4:2
Josué 1:8	Efesios 6:10
I Pedro 1:23	Lucas 18:1
Salmos 91:4	Santiago 5:16
Salmos 119:105	37:4-5
Salmos 37:23	Felipenses 2:13
Colosenses 1:9	II Corintios 10:5
Juan 16:13	Salmos 112:7-8

A Regocijarse en el Señor

"Padre, este es el día que Tú hiciste. ¡Me gozaré y me alegraré en él! Me regocijo en Ti siempre. Repito: me regocijo. Me deleito en Ti, Señor. ¡Soy feliz porque mi Dios es Señor!

"Padre, Tú dices que Te regocijas en mí. ¡Aleluya! He sido redimido. Vengo con cánticos, y con un gozo perdurable sobre mi cabeza. Obtengo gozo y alegría, y la angustia y los suspiros huyen de mí. Ese espíritu de regocijo, gozo y risa es mi herencia. Donde está el Espíritu de Dios hay libertad: emancipación de las cadenas. En esa libertad camino yo.

"Padre, mi boca te alabará con labios gozosos. Estoy siendo constantemente llenado y estimulado por el Espíritu Santo. Repito salmos e himnos y hago una melodía con todo mi corazón para Ti, Señor. Mi corazón alegre es una buena medicina, y mi mente gozosa produce sanidad. La luz de mis ojos hace que los corazones de otros se regocijen también. Digo cosas buenas y positivas. Mi rostro irradia el gozo del Señor.

"Padre, te doy gracias porque mi oración produce frutos. Lo que pido en el nombre de Jesús lo recibo, para que mi gozo (esa alegría y deleite) sea pleno y rebosante. El gozo del Señor es mi *fortaleza*. Por lo tanto, cuando me hallo en pruebas o tribulaciones, lo considero todo un gozo, una fuente de fuerza, porque tengo poder en Ti, Padre.

"Tengo la *victoria* en el nombre de Jesús. Satanás está bajo mis pies. Las circunstancias adversas no me mueven. He sido hecho la Santidad y la Justicia de Dios en Cristo Jesús. ¡Habito en el reino de Dios y tengo paz y gozo en el Espíritu Santo! ¡Gloria al Señor!"

CITAS BIBLICAS:

Salmos 118:24	Filipenses 4:8
Filipenses 4:4	Proverbios 15:13
Filipenses 3:1	Juan 15:7-8
Salmos 144:15	Juan 16:23
Sofonías 3:17	Nehemías 8:10
Isaías 51:11	Santiago 1:2
II Corintios 3:17	Efesios 6:10
Santiago 1:25	I Juan 5:4
Salmos 63:5	Efesios 1:22
Efesios 5:18-19	II Corintios 5:7
Proverbios 17:22	II Corintios 5:21
Proverbios 15:30	Romanos 14:17

A Caminar en la Sabiduría de Dios y en Su Perfecta Voluntad

"Padre, reconozco que por medio de Cristo Tú has creado en mí cosas buenas, por lo tanto, puedo impartir mi fe en forma eficaz. Escucho la voz del Buen Pastor, la voz de mi Padre; *no* sigo la voz de un extraño.

"Padre, creo en mi corazón y declaro con mi boca, que **este día se cumple Tu voluntad en mi vida.** Camino de una manera digna de Ti, Señor, agradándote plenamente, y deseando continuar agradándote en todas las cosas, produciendo fruto en toda obra. Tu Palabra dice que Jesús ha sido hecho sabiduría para mí. ¡Camino sin vacilar en esa sabiduría, esperando saber usarla en cada situación, y vivir *por encima* de toda circunstancia adversa!

"Encomiendo a Ti mis obras, Señor, y Tú haces que mis pensamientos estén de acuerdo a Tu voluntad. De esta manera mis planes se afirman y tienen éxito. Tú diriges y afianzas mis pasos. Comprendo cuál es la voluntad del Señor y me adhiero firmemente a ella, porque no soy de doble ánimo, irreflexivo o necio. Me mantengo firme y maduro en el crecimiento espiritual, convencido y totalmente seguro en todo aquello que es Tu voluntad.

"Padre, Tú me has designado y destinado para que progresivamente entre al conocimiento de Tu voluntad, esto es, a percibir, y a reconocer más claramente Tu voluntad y a familiarizarme de ella en una forma más íntima. Te doy gracias, Padre, por el Espíritu Santo que habita permanentemente en mí y que me guía en toda verdad — la verdad íntegra y completa. El Espíritu Santo me declara todo lo que oye de Ti, y me anuncia cosas que han de venir. Tengo la mente de Cristo y mantengo en mí los pensamientos, sentimientos y propósitos de Su corazón.

"Por lo tanto, Padre, he entrado en bendito reposo por

adherirme a Ti. Confío y descanso en Ti, en el nombre de Jesús. ¡Aleluya!"

CITAS BIBLICAS:

Filemón 6	Colosenses 4:12
Juan 10:27,5	Hechos 22:14
Colosenses 1:9-10	I Juan 2:20,27
I Corintios 1:30	I Corintios 2:16
Santiago 1:5-8	Hebreos 4:10
Proverbios 16:3,9	Juan 16:13
Efesios 5:17	

A Andar en Amor

"Padre, en el nombre de Jesús te doy gracias porque Tu amor ha sido derramado, vertido en mi corazón por el Espíritu Santo que me ha sido dado. Valoro y guardo Tu Palabra. Tu amor, Padre, ha sido perfeccionado en mí, y el perfecto amor echa fuera todo temor.

"Padre, **me comprometo a caminar en el amor divino** porque soy hijo Tuyo. Soy paciente, amable; todo lo soporto. Nunca tengo envidia ni me consumen los celos. No soy grocero, ni descortés; no actúo indebidamente. No insisto en mis propios derechos, ni en hacer las cosas a mi manera. No soy enojadizo, ni irritable, ni resentido. No tomo en cuenta ningún mal que se me haga, ni pongo atención a ningún agravio. No me gozo en la injusticia y en la iniquidad, más bien, me regocijo cuando el derecho y la verdad prevalecen. Sin importarme las circunstancias adversas que vengan, mantengo el ánimo. Siempre estoy dispuesto a creer *lo mejor* de los demás. No pierdo la esperanza, sea cual sea la situación. Soporto todo sin debilitarme, porque mi amor nunca falla.

"Padre, *bendigo* a los que me persiguen y *oro* por los que son crueles conmigo. Los bendigo, no los maldigo. De esta manera, mi amor crece más y más en todo conocimiento y en todo juicio. Muestro mi aprobación de las cosas que son excelentes. Seré sincero e *irreprensible* hasta el día de Cristo. En mí abundan los frutos de santidad y justicia.

"Dondequiera que vaya me comprometo a sembrar semillas de amor. Te doy gracias, Padre, por preparar de antemano los corazones para que reciban este amor. Sé que esas semillas producirán Tu amor en los corazones que las reciben.

"Padre, te doy gracias que, a medida que progreso en Tu amor y sabiduría, mi vida y ministerio serán de mayor bendición para otros. Padre, Tú haces que yo tenga compasión y bondad, y que en otros (nómbrelos) encuentre favor.

"Estoy profundamente arraigado y firmemente cimentado en el amor. Sé que Tú estás de mi parte y nada me puede separar de Tu amor, que está en Cristo Jesús, mi Señor. Gracias, Padre, en el maravilloso nombre de Jesús. Amén".

CITAS BIBLICAS:

Romanos 5:5	Filipenses 1:9-11
I Juan 2:5	Juan 13:34
I Juan 4:18	I Corintios 3:6
I Corintios 13:4-8	Daniel 1:9
Romanos 12:14	Efesios 3:17
Mateo 5:44	Romanos 8:31,39

A Cuidar de Mis Palabras

"Padre, en el nombre de Jesús, hoy hago este compromiso contigo. Me apartaré de palabras ociosas y pláticas necias que son contrarias a mis verdaderos deseos para otros y para mí mismo. Tu Palabra dice que la lengua contamina todo el cuerpo, enciende el fuego del curso de la naturaleza y ella misma es inflamada por el infierno.

"**En el nombre de Jesús, estoy decidido a tomar control de mi lengua.** No dejaré que el infierno le ponga fuego. Renuncio a toda palabra que haya salido de mi boca contra Ti y Tu obra, oh Dios; rechazo esas palabras y me arrepiento de ellas. Cancelo el poder de esas palabras consagrando ahora mi boca a pronunciar cosas excelentes y nobles. Abriré mis labios sólo para decir cosas rectas. Mi boca hablará la verdad.

"Yo soy la justicia y la santidad de Dios; dirijo el camino de mi vida hacia la abundancia, la sabiduría, la salud y el gozo. Todo lo que hablo es digno de Dios. Rehuso desviarme de las palabras puras y sanas. Mis palabras y mis acciones siempre manifestarán Tu justicia, Tu santidad y Tu salvación. Guardo mi boca y mi corazón con toda diligencia. Rehuso dar lugar a Satanás en mí. Estoy decidido a no seguir siendo de doble ánimo con mis palabras.

"Padre, Tus Palabras ocupan el primer lugar en mi vida. Sé que son espíritu y verdad. Permito que ellas habiten en mí compartiéndome toda sabiduría. Por medio de la Palabra de Dios y por las palabras de mi boca el poder de Dios es liberado dentro de mí. De mi boca salen Tus Palabras. Tú y Tus Palabras están vivas y obran en mí. Por eso puedo decir con todo valor que mis palabras son palabras de fe, de poder, de amor y de vida. Ellas producen cosas buenas en mi vida y en la vida de otros. Puesto que escojo Tus Palabras para mi boca, escojo Tu voluntad para mi vida. Sigo adelante en el poder de esas palabras haciéndolas realidad en el nombre de Jesús".

CITAS BIBLICAS:

Efesios 5:4	Proverbios 21:23
II Timoteo 2:16	Efesios 4:27
Santiago 3:6	Santiago 1:6
Proverbios 8:6-7	Juan 6:63
II Corintios 5:21	Colosenses 3:16
Proverbios 4:23	Filemón 6

A Vivir Libre de Preocupaciones

"Padre, te doy gracias porque me has librado del poder de las tinieblas y me has trasladado al reino de Tu Hijo amado. **Me comprometo a vivir libre de preocupaciones, en el nombre de Jesús,** porque la ley del Espíritu de vida en Cristo Jesús me ha *librado* de la ley del pecado y de la muerte.

"Me humillo bajo Tu poderosa mano para que a su debido tiempo Tú me puedas exaltar. Pongo sobre Ti, de una vez y para siempre, todas mis cargas (nombrarlas), todas mis ansiedades, todas mis procupaciones, todas mis inquietudes. Sé que Tú me cuidas cariñosamente, y siempre estás interesado en mí. ¡Tú me sostienes! ¡Nunca permitirás que el justo sea movido, se resbale, caiga o fracase!

"Padre, deleitándome en Ti, perfeccionas todo lo que a mí me concierne.

"Rechazo las imaginaciones (razonamientos) y toda cosa que se exalte contra Tu conocimiento. Someto todo pensamiento a la obediencia de Cristo. Me despojo de toda carga, incluyendo la preocupación, que es un pecado que tan fácilmente me acosa. Corro con paciencia la carrera que ha sido puesta delante de mí, mirando a Jesús, el autor y consumador de mi fe.

"Te doy gracias, Padre, que Tú eres poderoso para guardar lo que he encomendado a Ti. Pienso (fijo mis pensamientos) en aquellas cosas que son verdaderas, honestas, justas, puras, amables, de buen nombre, virtuosas y dignas de alabanza. No permito que sea perturbado mi corazón. Permanezco en Tus Palabras, y Tus Palabras permanecen en mí. Por lo tanto, *no* olvido qué clase de hombre soy. ¡Continuamente estudio la ley perfecta que trae libertad, *no* siendo un oidor olvidadizo, sino un *hacedor de la Palabra,* bendecido en todo lo que hago!

"Gracias, Padre, *estoy libre de toda preocupación*. ¡En el nombre de Jesús, camino en la paz que sobrepasa todo entendimiento!"

CITAS BIBLICAS:

Colosenses 1:13	Hebreos 12:1-2
Romanos 8:2	II Timoteo 1:12
I Pedro 5:6-7	Filipenses 4:8
Salmos 55:22	Juan 14:1
Salmos 37:4-5	Juan 15:7
Salmos 138:8	Santiago 1:22-25
II Corintios 10:5	Filipenses 4:6

De Las Compañías Corruptas

"SATANAS, EN EL NOMBRE DE JESUS, QUITA LAS MANOS DE
_____. TE ATO Y TE APARTO DE SU VIDA. DESISTE
DE TUS MANIOBRAS CONTRA EL.

"Padre Te doy gracias por liberar a _____
_____ de gente corrupta y depravada. Declaro
que _____ ha despertado y vuelto
a su sano juicio. Te doy gracias que no peca más. _____
_____ se separa de las malas influencias
que contaminan. Desecha todo lo que pudiera profanar su espíritu,
mente y cuerpo.

"_____ se comporta
y vive en forma honorable y correcta; todas sus obras están a
plena luz del día. No anda en parrandas y borracheras, ni en
inmoralidad y libertinaje. No es contencioso ni celoso. _____
_____ ha desechado todo rastro de
maldad (como depravación y perversidad), y todo tipo de engaño
e insinceridad (como fingimiento e hipocresía). También ha dejado los resentimientos, las calumnias y toda clase de maledicencia.

"_____ está lealmente
sujeto (es sumiso) a las autoridades que gobiernan, sin resistir ni
oponerse a ellas. _____ es
obediente y está siempre dispuesto para toda buena obra. _____
_____ camina en compañía de hombres sabios
quienes le comparten su sabiduría.

"Los pecados de _____ han
sido perdonados por medio del nombre de Jesús y de la confesión
de Su nombre. _____ es ahora victorioso
sobre el maligno porque ha conocido al Padre, ha reconocido Su
voz, y está atento a El. La Palabra vive permanentemente en

_____ , y _____

vive constantemente en el Hijo y en el Padre. La naturaleza de Dios permanece en _____ ; la simiente de Dios, Su principio de vida, permanece dentro de _____. Por lo tanto, él no puede practicar pecado — ha nacido de Dios. La ley del Espíritu de vida en Cristo Jesús ha hecho a _____ libre de la ley del pecado y de la muerte. ¡Gracias, Padre, en el nombre de Jesús, por vigilar sobre Tu Palabra para convertirla en realidad!"

CITAS BIBLICAS:

I Corintios 15:33-34a

II Timoteo 2:21

II Corintios 7:1

Romanos 13:13

I Pedro 2:1

Romanos 13:1-2

Tito 3:1

Proverbios 13:20

Proverbios 28:7

I Tesalonicenses 5:22

I Juan 2:12-16

I Juan 2:21,24

I Juan 3:9

Romanos 8:2

Jeremías 1:12

De Satanás y de Sus Fuerzas Demoníacas
(el Alcoholismo, las Apuestas, los Narcóticos, el Ocultismo, etc.)

Si la persona por la que estás intercediendo en oración no ha confesado a Jesús como su Señor y Salvador, ora específicamente por su salvación (si todavía no lo has hecho). Dale gracias al Padre y ponte firme en el nombre de Jesús de que esto se vuelva realidad. (Ve la página 67 en este libro.) Después ora de la siguiente manera:

"Padre, en el nombre de Jesús vengo confiadamente a Tu trono de gracia para presentar a _____ _____ ante Ti. Intercedo por él, sabiendo que el Espíritu Santo que habita en mí se enfrenta a los males que tratarían de mantener a _____ esclavizado. Con mis oraciones desato a _____ _____ de las ligaduras de iniquidad, y tomo mi escudo de fe para apagar todos los dardos encendidos que el adversario lance contra él.

"Padre, Tú dices que todo cuanto ate en la tierra será atado en el cielo, y que todo cuanto desate en la tierra será desatado en el cielo. Tú me ordenas que en el nombre de Jesús eche fuera demonios. Con esta seguridad digo lo siguiente:

"SATANAS, EN EL NOMBRE DE JESUS, TE HABLO A TI, A LOS PRINCIPADOS, A LAS POTESTADES, A LOS GOBERNADORES DE LAS TINIEBLAS, A LAS HUESTES ESPIRITUALES DE MALDAD EN LAS REGIONES CELESTES Y A LOS ESPIRITUS DEMONIACOS DE (*nombre a los espíritus*) ASIGNADOS A _____ _____. TOMO AUTORIDAD SOBRE USTEDES, LOS ATO, Y LOS APARTARTO DE _____. LES EXIJO QUE DESISTAN AHORA MISMO DE SUS MANIOBRAS. SATANAS, TU ERES UN ENEMIGO DESPOJADO Y DERROTADO.

55

"Espíritus ministradores de Dios, vayan en el nombre de Jesús a auxiliar a _____ en todo lo que necesite.

"Padre, en fe tomo posesión de la salvación de _____ _____, y de su confesión del señorío de Jesucristo. Como nos manda Tu Palabra, declaro las cosas que no son como si fueran. Prefiero mirar lo que no se ve: las cosas eternas de Dios. Declaro que Satanás no usará la vida de _____ para sus obras, porque no estoy ignorante de sus maquinaciones. Resistiendo a Satanás, él tiene que huir aterrorizado de _____ _____, en el nombre de Jesús. No le concedo al diablo ningún lugar en la vida de _____ _____. Ruego que la sangre del Cordero esté sobre _____ _____, porque Satanás y sus huestes fueron vencidos por esa sangre y por la Palabra de Dios. Te doy gracias, Padre, porque pisoteo serpientes, escorpiones y todo poder del enemigo a favor de _____ _____, quien es liberado de este mundo pecador. ¡Ha sido liberado de la potestad de las tinieblas, y trasladado al reino de Tu Hijo amado!

"Padre, ahora te pido que llenes esos vacíos que hay en _____ con Tu redención, Tu Palabra, el Espíritu Santo, Tu amor, Tu sabiduría, Tu justicia y Tu conocimiento revelador, en el nombre de Jesús.

"Te doy gracias, Padre, de que _____ _____ ha sido redimido por la sangre de Jesús y que está fuera de las manos de Satanás. El ha sido justificado y hecho recto por la sangre de Jesús. Te pertenece en espíritu, alma y cuerpo. Te doy gracias de que todo yugo esclavizante ha sido roto. _____ no volverá a ser esclavo de ninguna cosa, ni estará bajo ningún poder maligno, en el nombre de Jesús. _____ ha escapado de los engaños del diablo que lo tenían cautivo. Desde este momento él hace Tu voluntad, Padre, te glorifica en espíritu, alma y cuerpo.

"Gracias, Padre, porque Jesús vino al mundo para destruir las obras del diablo. Ahora las obras de Satanás están destruidas en la vida de _____, en el nombre de Jesús. ¡Aleluya! Ahora _____ _____ camina en el reino de Dios — en justicia, paz y gozo en el Espíritu Santo. ¡Alabado sea el Señor!"

Una vez que hayas hecho esta oración, dale gracias al Padre porque Satanás y sus huestes están atados. Permanece firme, arraigado, inmovible y constante en tus confesiones de fe, mientras intercedes a favor de esta persona, porque "**mayor es el que está en vosotros, que el que está en el mundo**" (I Juan 4:4).

CITAS BIBLICAS:

Hebreos 4:16	II Corintios 2:11
Ezequiel 22:30	Santiago 4:7
Romanos 8:26	Efesios 4:27
Isaías 58:6	Apocalipsis 12:11
Efesios 6:16	Lucas 10:19
Mateo 18:18	Gálatas 1:4
Marcos 16:17	Colosenses 1:13
Efesios 6:12	Mateo 12:43-45
Colosenses 2:15	I Corintios 6:12
Mateo 12:29	II Timoteo 2:26
Hebreos 1:14	I Juan 3:8
Romanos 4:17	Romanos 14:17
II Corintios 4:18	

Para los Seres Amados que Están Involucrados en Sectas

"Padre, en el nombre de Jesús venimos ante Ti en oración y en fe, creyendo que Tu Palabra corre veloz por toda la tierra, y no está encadenada ni aprisionada. Traemos ante Ti a _____ _____ (*aquéllos que están envueltos en el ocultismo y sus familias*). Padre, extiende Tu mano desde lo alto, rescata y libera a _____ 'de las muchas aguas, de la mano de los hombres extraños, cuya boca habla vanidad, y cuya diestra es diestra de mentira'. Su boca debe ser sellada, porque perturba y trastorna a _____ _____ y a familias enteras. Le enseñan cosas indebidas con el propósito de obtener ventajas y ganancias deshonestas. Pero, ¡Gloria a Dios, que no llegarán muy lejos, porque su insensatez será vista por todos!

"Ejecuta justicia, Padre amado, a favor de los oprimidos. Trae libertad a los prisioneros, abre los ojos a los ciegos, levanta a los abatidos, sana a los quebrantados de corazón, venda sus heridas, sana sus dolencias y su angustia. Levanta a los humildes y oprimidos y echa abajo a los malvados, en el nombre poderoso de Jesús.

"Haz volver los corazones desobedientes, incrédulos y rebeldes, a la sabiduría de los justos — al conocimiento y al amor santo de la voluntad de Dios. Que sean un pueblo perfectamente preparado en espíritu, adaptado, dispuesto y en un estado moral perfecto.

"Padre, Tú dices en Tu Palabra que reprimamos el sollozo de nuestras bocas, y el brotar de lágrimas de nuestros ojos, porque nuestras oraciones serán recompensadas y _____ _____ regresará del campo enemigo a su propia tierra. Tu rescatarás a nuestros hijos de la tierra de

cautiverio, del este y del oeste — de lejos los hijos, y las hijas de los confines de la tierra. Veremos a _____
_____ caminando en los caminos de santidad y virtud, reverenciando Tu nombre, Padre. Aquéllos que yerran en espíritu, comprenderán. Los que murmuran con descontento aceptarán que se les instruya en el Camino, que es Jesús. Padre, contiende Tú con aquéllos que contienden con nosotros y da seguridad y paz a
_____.

*"SATANAS, NOS DIRIGIMOS A TI EN EL NOMBRE DE JESUS. TE ATAMOS A TI, A LOS PRINCIPADOS, A LAS POTESTADES, A LOS GOBERNADORES DE LAS TINIEBLAS Y A LOS ESPIRITUS DE MALDAD EN LAS REGIONES CELESTES. DESTRUIMOS TUS FORTALEZAS USANDO LAS PODEROSAS ARMAS QUE DIOS NOS HA PROPORCIONADO EN EL NOMBRE DE JESUS. LES HABLAMOS A LA CODICIA, AL EGOISMO, AL ORGULLO, A LA ARROGANCIA, A LA VANAGLORIA, AL ABUSO, A LA BLASFEMIA, A LA DESOBEDIENCIA, A LA INGRATITUD, A LA VULGARIDAD, A LA REBELDIA, A LA PERVERSIDAD, A LA CALUMNIA , A LA INMORALIDAD, A LA FIEREZA, AL ODIO, A LA PERFIDIA, AL ENGAÑO, A LA LUJURIA, AL MATERIALISMO, AL ERROR, A LA TRAMPA, AL ESPIRITU DEL ANTICRISTO, A LA INDIGNIDAD, A LA INMUNDICIA, A LA CRUELDAD, A LA HOSTILIDAD, A LA DEPRAVACION, A LA DISTORCION, A LA IMPIEDAD Y A LA FALSEDAD: SEAN ATADAS TODAS SUS ORDENES DIABOLICAS CONTRA _____
_____. CANCELAMOS TODAS LAS PALABRAS NEGATIVAS, LAS DUDAS Y LA FALTA DE FE. SATANAS NO USARA ESTAS COSAS CONTRA _____
_____.*

"Enviamos a los espíritus ministradores para que dispersen las fuerzas de las tinieblas y traigan a _____
_____ a su hogar, en el nombre de Jesús.

"Padre, creemos y confesamos que _____
_____ tiene ya conocimiento de Tu Palabra. Declaramos que ese conocimiento le hará entender que la salvación viene por medio de la fe en Cristo Jesús. Oramos y declaramos que ciertamente Tú vas a liberar a _____ y a traerlo a Ti, lejos de todo asalto del maligno; lo vas a mantener y llevar

a salvo a Tu reino celestial. Gloria a Ti, Padre, que das libertad a aquéllos por quienes intercedemos en el nombre de Jesús".

Una vez que hayas hecho esta oración, dalo por realizado. Da gracias al Padre que él (o ella) ha sido liberado y que regresa ya del campo enemigo. Dale gracias a Dios que Satanás está atado. Agradece a Dios por la salvación de ese ser querido.

CITAS BIBLICAS:

Salmos 147:15
II Timoteo 2:9
Salmos 144:7-8
Tito 1:11
II Timoteo 3:9
Salmos 146:7-8
Salmos 147:3-6
Lucas 1:17
Jeremías 31:16-17
Jeremías 46:27

Isaías 43:5-6
Isaías 29:23-24
Isaías 49:25
Mateo 18:18
II Timoteo 3:2-9
Hebreos 1:14
II Timoteo 3:15
II Timoteo 4:18
Job 22:30

De los Malos Hábitos

"Padre, en el nombre de Jesús, y de acuerdo a Tu Palabra, creo en mi corazón y declaro con mi boca que Jesús es el Señor de la vida de _____.
Confieso también que desde este día en adelante, _____
_____ ha sido desatado y liberado del hábito (de los hábitos) de _____,
en el nombre de Jesús.

"*SATANAS, TU Y TODOS TUS PRINCIPADOS, POTESTADES, GOBERNADORES DE LAS TINIEBLAS Y HUESTES ESPIRITUALES DE MALDAD EN LAS REGIONES CELESTES, ESTAN ATADOS.* _____
_____ *QUEDA LIBERADO DE TI, EN EL NOMBRE DE JESUS, COMO ESTA ESCRITO EN MATEO CAPITULO 18, VERSICULOS 18 Y 19. SATANAS, YA NO PODRAS SEGUIR ACOSANDO A* _____
_____, *NI MANDAR QUE OPERE NINGUNO DE TUS ESPIRITUS O HABITOS IMPUROS SOBRE EL. YA NO SERA ESCLAVO DE NINGUNA COSA NI ESTARA BAJO NINGUN PODER QUE SE EXALTE POR ENCIMA DE LA PALABRA DE DIOS.*

"Por medio de esta oración declaro que _____
_____ ha sido fortalecido y armado con gran poder en su espíritu por el Espíritu Santo que habita en lo más profundo de su ser. _____ es fuerte en el Señor. Tiene poder a través de su unión con el Señor. Extrae su fuerza del Señor . . . esa fuerza que Su omnipotencia le provee.

"_____ se arma con toda la armadura que Dios le ha proporcionado. La armadura de Dios viste poderosamente a Sus soldados: el yelmo de salvación, los lomos ceñidos con la verdad, la coraza de la justicia (y santidad), los pies calzados con disposición de llevar el Evangelio de paz, el escudo de la fe y la espada del Espíritu (la Palabra de Dios).

Con esta armadura puesta, _____ es capaz de permanecer firme contra las estrategias, los engaños y lo dardos de fuego de Satanás, en el nombre de Jesús.

Como acto de voluntad y de fe _____ _____ recibe AHORA una libertad total y completa. Ha sido desatado y liberado porque ha invocado el nombre del Señor de acuerdo a lo que está escrito en Su Palabra.

"_____ es capaz de disciplinar y someter su cuerpo. Es fuerte, es libre. Soporta la tentación porque Jesús es el Señor de su vida. Jesús es su Sumo Sacerdote, y con Jesús y el Padre de su parte, _____ _____ tiene fortaleza para todas las cosas . . . porque mayor es el que está en _____ que el que está en el mundo.

"Gracias, Señor. Te alabo porque _____ _____ ha sido completamente redimido de toda obra maligna. Contigo y con Tu Palabra en su interior _____ _____ controla su cuerpo. Su carne ya no puede controlarlo ahora, ni nunca, en el nombre de Jesús. ¡Aleluya!"

CITAS BIBLICAS:

Romanos 10:9-10,13
Mateo 18:18-19
I Corintios 6:12
II Corintios 10:4-5
Efesios 3:16
Efesios 6:10-17

Hebreos 4:14-16
I Juan 4:4
Romanos 8:4,9
Romanos 12:21
Romanos 13:14

De la Depresión

"Padre, Tú eres mi refugio, fortaleza y mi baluarte en tiempos de angustia. Me apoyo en Ti, y en Ti deposito mi confianza. Tú no me has abandonado, porque te busco usando la autoridad de Tu Palabra y el derecho que da la necesidad. Te alabo, mi Dios, porque Tú tienes el poder para cambiar mi semblante.

"Señor, sé que Tú levantas a los caídos. Por lo tanto, mi corazón cobra ánimo y me lleno de fuerza. En la justicia y en lo santo me establezco — en lo que es recto conforme a Tu voluntad y orden. No tengo ningún temor, porque no permito que ningún pensamiento de opresión, de destrucción y de terror se acerque a mí.

"Padre, Tú tienes planes de bienestar y de paz para mí. *Mi mente está fija en Ti.* No permitiré que mi ser esté agotado, perturbado, intimidado, acobardado e inquieto.

"*SATANAS, TE RESISTO A TI Y A TODO ESPIRITU OPRESOR EN EL NOMBRE DE JESUS. ME RESISTO AL TEMOR, AL DESALIENTO, A LA AUTOCOMPASION Y A LA DEPRESION. DECLARO LA PALABRA DE VERDAD EN EL PODER DE DIOS. NO TE DOY NINGUN LUGAR EN MI VIDA, SATANAS. ESTOY LIBRE DE LA OPRESION POR LA SANGRE DEL CORDERO.*

"Padre, te doy gracias por haberme dado un espíritu de poder y de amor, y una mente tranquila y bien equilibrada. Me has dado disciplina y dominio propio. Tengo la mente de Cristo — los pensamientos, sentimientos e intenciones de Su corazón. Tengo una actitud mental y espiritual siempre viva, porque mi mente está siendo renovada constantemente con Tu Palabra, Padre.

"Por lo tanto, me fortalezco, renuevo mi vigor, abro caminos rectos y sendas seguras, llenas de gozo, que me lleven en la dirección correcta. Me levanto de la depresión y la postración en que me han tenido las circunstancias. Resplandezco con la gloria de Dios.

"Gracias, Padre, en el nombre de Jesús, porque he sido liberado de toda obra maligna. Te alabo porque el gozo del Señor es mi fortaleza y mi refugio. ¡Aleluya!"

CITAS BIBLICAS:

Salmos 9:9-10
Salmos 42:5,11
Salmos 146:8
Salmos 31:22-24
Isaías 35:3-4
Isaías 54:14
Isaías 50:10
Jeremías 29:11-13
Isaías 26:3
Juan 14:27
Santiago 4:7

Efesios 4:27
Lucas 4:18-19
II Timoteo 1:7
I Corintios 2:16
Filipenses 2:5
Efesios 4:23-24
Hebreos 12:12-13
Isaías 60:1
Gálatas 1:4
Nehemías 8:10

Para Recibir a Jesús como Señor y Salvador

"Padre, está escrito en Tu Palabra que si confieso con mi boca que Cristo es Señor, y creo en mi corazón que Tú lo levantaste de entre los muertos, seré salvo. Por lo tanto, Padre, confieso que Jesús es mi Señor. Lo hago Señor de mi vida en este instante. Creo en mi corazón que Tú levantaste a Jesús de entre los muertos. Renuncio a mi vida pasada con Satanás.

"Te doy gracias por perdonarme todos mis pecados. Jesús es mi Señor y yo soy una nueva criatura. Las cosas viejas han pasado. Ahora todas las cosas se vuelven nuevas, en el nombre de Jesús. Amén".

CITAS BIBLICAS:
(para compartir con aquellos a quienes les estás testificando)

Juan 3:16	Juan 14:6
Juan 6:37	Romanos 10:9-10
Juan 10:10b	Romanos 10:13
Romanos 3:23	Efesios 2:1-10
II Corintios 5:19	II Corintios 5:17
Juan 16:8-9	Juan 1:12
Romanos 5:8	II Corintios 5:21

Por la Salvación (General)

"Padre, está escrito en Tu Palabra: *Exhorto ante todo, a que se hagan rogativas, oraciones, peticiones y acciones de gracias, por* **todos los hombres** . . . .

"Por lo tanto, Padre, traemos ante Ti a los perdidos de este mundo; a todos los hombres, mujeres y niños; a los que están aquí cerca, y a los que están hasta los más lejanos rincones de la tierra. Intercedemos por ellos usando nuetra fe. Creemos que en este día miles tendrán la oportunidad de hacer a Jesucristo su Señor.

"*ORAMOS POR TODOS LOS QUE YA HAN TENIDO ESA OPORTUNIDAD. SATANAS, ATAMOS TU ESPIRITU CEGADOR DEL ANTICRISTO Y TE DESATAMOS DE TU COMISION CONTRA AQUELLOS QUE TENGAN LA OPORTUNIDAD DE ACEPTAR A JESUS COMO SEÑOR.*

"Te pedimos, Señor de la Cosecha, que hoy coloques al obrero perfecto en sus caminos. Que él les comparta las buenas nuevas del Evangelio de una forma especial, de manera que escuchen y comprendan. Tenemos fe de que ellos no podrán resistir al Espíritu Santo, porque Tú, Padre, los llevarás al arrepentimiento por medio de Tu bondad y amor.

"Declaramos que aquéllos a quienes nunca se les ha hablado de Jesús, abrirán los ojos; aquéllos que nunca han oído hablar de Jesús, comprenderán el Evangelio y saldrán de la trampa y del cautiverio del diablo. Saldrán de las tinieblas a la luz, del poder de Satanás a Ti, oh Dios".

CITAS BIBLICAS:
I Timoteo 2:1-2	Romanos 2:4
Job 22:30	Romanos 15:21
Mateo 18:18	II Timoteo 2:26

Por la Salvación (Específica)

"Padre, en el nombre de Jesús venimos ante Ti en oración y en fe, creyendo. Está escrito en Tu Palabra que Jesús vino a salvar a los perdidos. Tú quieres que **todos los hombres** sean salvos y conozcan Tu divina verdad. Por lo tanto, Padre, traemos a _____ ante Ti en este día.

"*¡SATANAS, TE ATAMOS EN EL NOMBRE DE JESUS Y DESATAMOS TUS MANIOBRAS EN LA VIDA DE _____!*

"Padre, Señor de la Cosecha, te pedimos que pongas al obrero perfecto en su camino; un obrero que comparta con él Tu Evangelio de una forma especial para que lo escuche y comprenda. Creemos que mientras Tu obrero le ministra, él volverá en sí — escapará del lazo del diablo que lo ha tenido cautivo, y hará a Jesús el Señor de su vida.

"Tu Palabra dice que Tú liberas a los culpables por quienes nosotros intercedemos por la limpieza *de nuestras manos*. Nos mantenemos firmes en Tu Palabra, y a partir de este momento, Padre, te alabaremos y te daremos gracias por su salvación. Hemos puesto este asunto en Tus manos y con nuestra fe vemos a _____ _____ salvo, lleno de Tu Espíritu y con conocimiento pleno y claro de Tu Palabra. Amén. ¡Así sea!"

Cada día, después de hacer esta oración, da gracias al Señor por la salvación de esta persona. ¡Regocíjate y alaba a Dios por la victoria! ¡Declara la oración como algo ya hecho! Dale gracias por enviar a su obrero. Dale gracias porque Satanás está atado. ¡Aleluya!

COMUNIÓN

CITAS BIBLICAS:

Lucas 19:10	II Timoteo 2:26
Mateo 18:18	Job 22:30
Mateo 9:38	

Para Recibir la Plenitud del Espíritu Santo

"Padre celestial, soy Tu hijo porque creo en mi corazón que Jesús fue levantado de entre los muertos y he confesado que El es mi Señor.

"Jesús dijo: *'Cuánto más vuestro Padre celestial dará el Espíritu Santo a los que se lo pidan'*. Te pido ahora en el nombre de Jesús que me llenes con el Espíritu Santo. Recibo ahora la plenitud y el poder que anhelo, en el nombre de Jesús. Confieso que soy un cristiano lleno del Espíritu. Al ceder mis cuerdas vocales, espero hablar en lenguas, porque el Espíritu me da las palabras, en el nombre de Jesús. ¡Alabado sea el Señor!"

CITAS BIBLICAS:
(Para dar a aquéllos con quienes se está compartiendo)

Juan 14:16-17	Hechos 10:44-46
Lucas 11:13	Hechos 19:2,5-6
Hechos 1:8a	I Corintios 14:2-5
Hechos 2:4	I Corintios 14:18,27
Hechos 2:32-33,39	Efesios 6:18
Hechos 8:12-17	Judas 1:20

Una Confesión de Perdón para el Creyente

"Padre, en el nombre de Jesús renuevo mi compromiso contigo de vivir en paz y armonía, no sólo con los hermanos y hermanas del cuerpo de Cristo, sino también con mis amigos, asociados, vecinos y familiares.

"Renuncio a todo resentimiento, envidia, contienda, amargura y falta de amabilidad. No doy ningún lugar al diablo, en el nombre de Jesús. Ahora, Padre, te pido perdón. Lo recibo por fe, con la seguridad de que he sido purificado de todo pecado por medio de Jesucristo. Te pido que perdones y liberes a todos los que me hayan hecho mal o me hayan ofendido. Yo los perdono y libero. Trátalos con Tu amor y Tu misericordia.

"A partir de este momento, me hago el propósito de caminar en amor, buscar la paz, vivir en armonía y conducirme hacia los demás de una manera que Te agrade. Sé que Tus oídos están atentos a mis peticiones porque tengo buena relación contigo.

"Está escrito en Tu Palabra que Tu amor ha sido derramado en nuestros corazones por el Espíritu Santo. Declaro que ese amor fluye hacia las vidas de todos los que conozco, para que yo esté lleno de frutos de santidad y justicia que te den gloria y honor, Señor. En el nombre de Jesús. ¡Así sea!"

CITAS BIBLICAS:

Romanos 12:16-18,10	Efesios 4:32
Filipenses 2:2	I Pedro 3:8, 11-12
Efesios 4:31,27	Colosenses 1:10
I Juan 1:9	Romanos 5:5
Marcos 11:25	Filipenses 1:9,11

Para Renovar la Comunión

"Padre, Tú apresuras Tu Palabra para realizarla. Yo creo y declaro que _____ es un discípulo de Cristo, enseñado por Ti, Señor, obediente a Tu voluntad. Está lleno de paz y su compostura es imperturbable. _____ te tiene a Ti como su tutor personal. Te ha escuchado, ha aprendido de Ti y ha venido a Jesús.

"_____ está convencido y persiste en lo que ha aprendido. Desde la niñez él ha tenido conocimiento de la Palabra que instruye y da comprensión de la salvación que viene por fe en Cristo Jesús. El está familiarizado con Tu Palabra. Padre, sé que Tú vas a sanar a _____ _____, vas a guiar a _____, vas a recompensar a _____ y vas a consolar nuevamente a _____.

"Jesús le da vida eterna a _____. Nunca perecerá a lo largo de las edades, vivirá una eternidad. _____ jamás será destruido de ninguna manera. Tú, Padre, has puesto a _____ en la mano de Jesús. Nadie puede arrebatarlo de Su mano. Tú eres lo más grande y poderoso que existe; nadie puede arrebatar a _____ de Tu mano.

"Estoy orando y creyendo para que _____ _____ recapacite, escape del lazo del diablo que lo ha tenido cautivo y se juzgue a sí mismo.

"*EN EL NOMBRE DE JESUS, ATAMOS A SATANAS Y A TODO ES-PIRITU OBSTRUCTOR. QUEDAN ATADOS SIN PODER OBRAR EN LA VIDA DE* _____.

"_____ es partícipe con Cristo, el Mesías, de todo lo que Dios tiene para

El. Retiene siempre firme la misma confianza, expectación y seguridad que tuvo cuando aceptó a Cristo. _____ _____ no desecha su confianza porque tiene una gran recompensa.

"Gracias por darle sabiduría y revelación a _____ _____ y por avivarlo a Tu Palabra. Gracias porque _____ goza de comunión contigo, con Jesús y con los creyentes".

CITAS BIBLICAS:

Jeremías 1:12	II Timoteo 2:26
Juan 6:45	I Corintios 11:31
Isaías 54:13	Mateo 18:18
II Timoteo 3:14-15	Hebreos 3:14
Isaías 57:18	Hebreos 10:35
Juan 10:28-29	Efesios 1:17
I Juan 5:16	I Juan 1:3

Por Valor y Denuedo

"Padre, en el nombre de Jesús, declaro que soy valiente. Te ruego que me concedas que con *toda osadía* declare Tu Palabra. Te ruego que me des libertad para expresarme como debo, de tal manera que pueda abrir mis labios y proclamar *valientemente* el misterio de las buenas nuevas del Evangelio.

"Padre, creo que recibo ahora esa *osadía,* en el nombre de Jesús. Tengo *confianza* para entrar en el Lugar Santísimo por la sangre de Jesús. Debido a mi fe en El, me atrevo a ser valiente y firme. Sé que tengo libre acceso de acercarme a Ti sin reservas, con libertad y sin temor. Puedo acercarme con confianza hasta Tu trono de gracia a fin de alcanzar misericordia y gracia para ser socorrido en toda necesidad. Oro con *confianza y valentía.* Vengo con mis peticiones y con las peticiones de otros que no saben como llegar hasta Tu trono.

"Seré *valiente* contra Satanás, los demonios, los espíritus malignos, las dolencias, las enfermedades y la pobreza, porque Jesús es la Cabeza de toda potestad y autoridad — de todo principado y potestad angélica. Despojando a los que se dispusieron contra nosotros, Jesús los exhibió con *denuedo* públicamente, triunfando sobre ellos. Tengo *valor* para decir, '¡Satanás, tú eres un enemigo vencido, porque mi Dios y mi Jesús reinan!'

"Me consuelo, tomo ánimo, y proclamo con seguridad y *osadía*: 'El Señor es mi ayudador; la inquietud no me rodeará. No temeré ni me aterrorizaré. ¿Qué me puede hacer el hombre?' Atrevidamente dirijo la Palabra de Dios hacia el cielo, hacia el infierno y hacia la tierra.

"Soy valiente como un león porque he sido convertido en la justicia y santidad de Dios en Cristo Jesús. ¡Estoy completo en El! ¡Gloria al nombre de Jesús!"

GENERAL

CITAS BIBLICAS:

Salmos 27:14

Hechos 4:29

Efesios 6:19-20

Marcos 11:23-24

Hebreos 10:19

Efesios 3:12

Hebreos 4:16

Colosenses 2:10,15

Hebreos 13:6

Proverbios 28:1

II Corintios 5:21

Para Mejorar la Comunicación con un Ser Amado

"_____ es discípulo de Cristo, enseñado por el Señor y obediente a Su voluntad. Grande es la paz e inperturbable la compostura de _____ _____. Está siendo renovado constantemente en el espíritu de su mente; tiene una actitud mental y espiritual viva. Se está vistiendo de su nueva naturaleza — una nueva criatura — creada a la imagen de Dios. Es la imagen de Dios en justicia y santidad.

"La vida de _____ expresa un constante amor por la verdad — habla con la verdad, vive en la verdad. _____ está rodeado de amor, madurando en todos los aspectos y en todas las cosas hacia El, la Cabeza, el Cristo, el Mesías, el Ungido. Los labios de _____ manifestarán la verdad. _____ habla cosas excelentes y nobles; sus labios se abren para declarar cosas justas y santas. Todas las palabras de su boca son justas. No hay nada contrario a la verdad ni torcido en él.

"_____ inclina su corazón a Tus testimonios, Padre, y no a la codicia (al robo, a la sensualidad o a las riquezas mal obtenidas). _____ _____ no ama ni atesora las cosas del mundo. Tu amor, Padre, está en él. _____ es libre de los deseos de la carne (el anhelo de gratificación sensual), los deseos de los ojos (las codiciosas añoranzas de la mente) y la vanagloria de la vida (la seguridad puesta en los recursos propios o en la estabilidad terrenal). _____ percibe y conoce la verdad, sabe que nada falso procede de la verdad.

"_____ valora Tu sabiduría, Padre, y la exalta. Ella a su vez lo exalta y lo mejora a él. _____ está atento a Tu Palabra; recibe y se somete a Tus declaraciones. _____ _____ las guarda en el centro de su corazón, porque son vida para él y medicina para todo su cuerpo. _____ _____ guarda su corazón con toda diligencia porque de él brotan las fuentes de vida.

"_____ no hará nada motivado por el partidismo, a través de contiendas, luchas o egoísmos, con fines indignos, o impulsado por arrogancia disimulada y vacía. En cambio, en un verdadero espíritu de humildad, _____ _____ mirará a los demás como mejores que él mismo. _____ cuida y se preocupa no sólo por sus propios intereses, sino también por los de otros.

"_____ permite que en él estén la misma actitud, propósito y mente humilde que estaba en Cristo Jesús. Gracias, Padre, en nombre de Jesús".

CITAS BIBLICAS:
Isaías 54:13
Efesios 4:23-24
Efesios 4:15
Proverbios 8:6-8
Salmos 119:36
I Juan 2:15-16,21
Proverbios 4:8,20-23
Filipenses 2:2-5

Por los que Están en Procesos Legales

"Padre, vengo a Ti en el nombre de Jesús. En Tu Palabra dice que si clamo a Ti, Tú responderás y me mostrarás cosas grandes y poderosas. Te recuerdo Tu Palabra, y te doy gracias porque Tú vigilas sobre ella para que se convierta en realidad.

"Afirmo que ninguna arma forjada contra mí prosperará, y que demostraré la falsedad de toda lengua que se alce contra mí en juicio. Esta paz, seguridad y triunfo sobre la oposición son mi herencia como hijo Tuyo. Tú dices que esta es la justicia que me impartes, Tú, Padre, en forma de justificación. Está lejos de mí todo pensamiento de destrucción, de temor y de terror.

"Padre, Tú dices que me fortalecerás hasta el final, y me mantendrás firme. Me garantizas que se me hará justicia; Tú serás mi garantía contra toda acusación o cargo. Padre, contiende con los que contienden conmigo y perfecciona Tu propósito en mi vida. Moro dentro del refugio secreto del Altísimo, y este lugar secreto me esconde de las conspiraciones de las lenguas de los hombres, porque el testigo falso que habla mentiras es abominación a Ti.

"Soy un testigo veraz, todas mis palabras son rectas y aceptables a Ti, Padre. Mi perseverante paciencia y la tranquilidad de mi espíritu persuadirán al juez. Mi hablar será sosegado; así romperé la resistencia más dura. No me preocupo de antemano por lo que he de decir, o por lo que he de responder en mi defensa, porque el Espíritu Santo me enseñará *en esa misma hora* lo que debo decir a los del mundo. Mi hablar será sazonado con sal.

"Te doy gracias, Padre, porque Satanás y todo espíritu amenazador están atados y no pueden operar contra mí. Soy fuerte en Ti, Señor, y en la fuerza de Tu potestad apago todo dardo encendido. Gracias, Padre, porque aumento en sabiduría, en estatura, en edad y en *favor* ante Ti, y ante los hombres.

GENERAL

¡Alabado sea el Señor!"

CITAS BIBLICAS:

Jeremías 33:3	Proverbios 6:19
Jeremías 1:12	Proverbios 12:25
Isaías 43:26	Proverbios 8:8
Isaías 54:17	Proverbios 25:15
Isaías 54:14	Lucas 12:11-12
I Corintios 1:8	Colosenses 4:6
Isaías 49:25	Mateo 18:18
Salmos 138:8	Efesios 6:10,16
Salmos 91:1	Lucas 2:52
Salmos 31:20	

Para Encontrar Empleo

"Padre, en el nombre de Jesús, creemos y declaramos hoy Tu Palabra a favor de _____, sabiendo que Tú apresuras Tu Palabra para ponerla por obra. ¡Tu Palabra prospera en _____, prospera en todo aquello para lo que fue enviada. Padre, Tú eres para _____ la fuente de toda consolación y aliento. _____ tiene valor y su fuerza aumenta.

"El anhelo de _____ es no deber a nadie nada, sino amor. Por lo tanto, _____ _____ se esfuerza y no permite que sus manos sean perezosas o débiles, porque sabe que su obra será recompensada. Su sueldo no se le cuenta como favor ni regalo, sino como deuda. _____ desea sinceramente vivir en tranquilidad y paz, y se dedica a lograrlo; se interesa en sus propios asuntos y trabaja con sus manos para poderse sostener adecuadamente. Es recto y honorable y se gana el respeto del mundo exterior. Se sostiene a sí mismo. No depende de nadie y no tiene necesidad de nada, porque Tú, Padre, satisfaces al máximo todas sus necesidades.

"_____ trabaja calladamente, ganando su propio alimento y satisfaciendo todas sus necesidades. No está cansado de actuar con rectitud, y continúa mostrando bondad sin desmayar. _____ aprende a ocuparse en las buenas obras y en el trabajo honrado y honorable. Así, satisface todas las necesidades que puedan surgir.

"Padre, Tú conoces las obras de _____ _____ en el pasado y en el presente. Tú has puesto ante él una puerta totalmente abierta que nadie es capaz de cerrar.

"_____ no teme ni desmaya, porque Tú, Padre, lo fortaleces. Ayúdalo Tú, Padre, en el nombre de Jesús, porque en Jesús _____ _____ tiene perfecta paz, seguridad y buen ánimo. Jesús venció al mundo y lo privó de su poder para hacerle daño. No está inquieto ni ansioso por nada, porque Tu Paz, Padre, pone guardia sobre su corazón y su mente. _____ _____ sabe como enfrentarse a todas las situaciones, porque es autosuficiente, en la suficiencia de Cristo. Cuidando su boca, _____ se mantiene alejado de muchos problemas.

"_____ aprecia Tu sabiduría, Padre, y te reconoce en sus caminos. Tú diriges, enderezas y afirmas su camino para levantarlo y honrarlo. Por lo tanto, Padre, _____ aumenta en Tu sabiduría (en comprensión amplia y plena), en estatura y años, y en favor contigo y con los hombres".

CITAS BIBLICAS:

Jeremías 1:12
Isaías 55:11
II Corintios 1:3
I Corintios 16:13
Romanos 13:8
II Crónicas 15:7
Romanos 4:4
I Tesalonicenses 4:11-12
II Tesalonicenses 3:12-13
Lucas 2:52

Tito 3:14
Apocalipsis 3:8
Isaías 41:10
Juan 16:33
Filipenses 4:6-7
Filipenses 4:12-13
Proverbios 21:23
Proverbios 3:6
Proverbios 4:8

Para Hallar Favor Ante los Demás

"Padre, en el nombre de Jesús, haz que resplandezca Tu rostro sobre _____ y lo ilumine; derrama Tu gracia (bondad, misericordia y favor) sobre él. Como dice Tu Palabra, _____ es cabeza y no cola. _____ está siempre arriba y no abajo.

" _____,
busca Tu reino, Tu justicia y Tu santidad. Buscando diligentemente el bien, _____ halla favor ante los demás. _____ es una bendición para Ti, Padre, y una bendición para *(nómbralos: familiares, vecinos, socios, y otros)*. La gracia (el favor) está con ____ _____ porque él ama al Señor con sinceridad. _____ extiende favor, honra y amor a *(nombres)*. _____ está fluyendo en Tu amor, Padre. Sobre él estás derramando el espíritu de favor. Tú lo coronas de gloria y honor, porque él es hijo Tuyo, obra de Tus manos.

" _____ tiene éxito hoy. _____ es alguien muy especial para Ti, Señor. _____ está creciendo en Ti, fortaleciéndose en espíritu. Padre, dale a _____ conocimiento y habilidad en todo aprendizaje y sabiduría.

"Haz que _____ encuentre el favor, la compasión y la bondad amorosa de *(nombres)*. Declaramos que _____ hallará favor ante toda persona con quien tenga contacto en este día, en el nombre de Jesús. _____ tiene Tu plenitud; está arraigado y firme en Tu amor. Tú estás haciendo

las cosas mucho más abundantemente de lo que _____
_____ pide o piensa, porque Tu inmenso poder está
tomando control de todo en la vida de _____

_____.

"¡Gracias, Padre, porque _____
_____ goza de Tu favor y del favor de los hombres, en el
nombre de Jesús!"

CITAS BIBLICAS:

Números 6:25

Deuteronomio 28:13

Mateo 6:33

Proverbios 11:27

Efesios 6:24

Lucas 6:38

Zacarías 12:10

Salmos 8:5

Efesios 2:10

Lucas 2:40

Daniel 1:17,9

Ester 2:15,17

Efesios 3:19-20

Por Protección y Seguridad

"Padre, en el nombre de Jesús, te doy gracias porque vigilas sobre Tu Palabra para realizarla. Te doy gracias porque habito al abrigo del Altísimo y permanezco **estable y firme** bajo la sombra del Omnipotente, cuyo poder ningún enemigo puede resistir.

"Padre, Tú eres mi refugio y mi fortaleza. **Ningún mal me sobrevendrá — ningún accidente me sucederá — ni habrá plaga o calamidad que se acerque a mi hogar.** Tú les mandas a Tus ángeles que tengan cuidado especial sobre mí. Ellos me acompañan, me defienden y me conservan porque voy por caminos de obediencia y servicio. Ellos acampan a mi alrededor.

"Padre, Tú eres mi confianza, firme y segura. Como dice Tu Palabra, Tú preservas mi pie de caer en una trampa o en un peligro escondido. Padre, Tú me das seguridad y me tranquilizas. ¡Jesús es mi seguridad!

"**Cuando viajo . . .** en el camino digo, 'Permite que llegue al otro lado', y mi oración es contestada. Ando seguro y confiadamente por mi camino porque mi corazón y mente están firmemente sostenidos en Ti, y porque me guardas en perfecta paz.

"**Mientras duermo . . .** Padre, canto de gozo en mi cama. Me acuesto y Tú me cuidas. En paz me acuesto y duermo, porque solo Tú, Señor, me haces morar en seguridad. No tengo miedo. Mientras duermo mi sueño es dulce porque Tú *me bendices*. Gracias, Padre, en el nombre de Jesús. Amén".

Continúen tú y tus seres queridos meditando y deleitándose en el Salmo 91.

CITAS BIBLICAS:

Jeremías 1:12

Salmos 91:1-2

Salmos 91:10

Salmos 91:11

Salmos 34:7

Proverbios 3:26

Isaías 49:25

Marcos 4:35

Marcos 11:23

Proverbios 3:23

Salmos 112:7

Isaías 26:3

Salmos 149:5

Salmos 3:5

Salmos 4:8

Proverbios 3:24

Salmos 127:2

Por los Solteros

"_____ está unido al Señor
y se ha vuelto un sólo espíritu con El. _____
_____ rechaza la inmoralidad y todo libertinaje sexual.
_____ huye de la impureza de pensamiento,
de palabra y de obra.

"_____ no pecará
contra su cuerpo cometiendo inmoralidad sexual. El cuerpo de
_____ es templo del Espíritu Santo. Este
vive dentro de él porque _____ lo ha
recibido como un don de Dios. _____
no es dueño de sí mismo. _____ fue com-
prado por un precio, adquirido con la preciosa sangre de Cristo.
_____ honrará y glorificará a Dios
con su cuerpo y su espíritu, los cuales ha dado a Dios.

"_____ rechaza y huye de las
pasiones juveniles; sus metas son la justicia y la santidad. Busca
todo lo que es bueno y virtuoso, una vida recta y conformidad
con la voluntad de Dios en pensamiento, palabra y acción. En-
camina sus pasos hacia la fe, el amor y la paz. Busca la armonía
y la concordia con los demás. Está en comunión con todo cristiano
que clama al Señor con corazón puro.

"_____ se aparta de todo
lo que pudiera ofenderte, Padre, y deshonrar el nombre de Cristo.
_____ vive como hijo de Dios
irreprensible, puro, inocente, sin mancha alguna, impecable en
medio de una generación torcida y malvada. _____
_____ aparece como una luz resplandeciendo
claramente en la oscuridad del mundo. A todos les presenta y
ofrece la Palabra de vida. Gracias, Padre, porque Jesús es Señor".

CITAS BIBLICAS:
I Corintios 6:17-20
II Timoteo 2:22
Filipenses 2:12,15-16

Por la Soltera que Confía en que Dios le Dará un Esposo

"Padre, en el nombre de Jesús, creo que Tú has preparado a la persona perfecta para _____.
El hombre que se unirá en matrimonio con _____
_____ ya vive en santidad y justicia. Padre, así como Tú te has regocijado en Jerusalén (como novio), también este novio se regocijará en _____. Gracias, Padre, porque él amará a _____
como Cristo ama a la Iglesia. La sostendrá, la protegerá cuidadosamente y la apreciará.

"Padre, ya que él es el hombre ideal que Tú tienes para _____, sé que no existen en él las dudas, la inseguridad y la insinceridad. El habla los oráculos de Dios. Con toda sabiduría y conocimiento, él reconoce Tus consejos. No habla ni actúa de manera contraria a Tu Palabra. Camina totalmente en amor, prefiriendo y valorando a otros más que a sí mismo.

"Padre, creo que todo lo que no venga de Ti será quitado de la vida de _____. También te doy gracias por la perfecta realización de Tu Plabra en _____
_____. Ella está preparada para toda buena obra. Padre, te alabo porque cumples Tu Palabra en la vida de _____".

CITAS BIBLICAS:
Isaías 62:5
Efesios 5:25
Santiago 3:17
Proverbios 8:8

Por el Soltero que Confía en que Dios le Dará una Esposa

"Padre, en el nombre de Jesús, creo que Tú le proveerás la perfecta compañera a _____. Padre, según Tu Palabra, será una mujer que se adaptará a la vida de _____, lo respetará, lo honrará, lo estimará y lo preferirá sobre todos los demás. Permanecerá firme a su lado, unida a él en espíritu y propósito. Estarán en pleno acuerdo, con un mismo amor, gozando de los mismos planes y de la misma forma de pensar.

"Padre, Tú dices en Tu Palabra que una esposa sabia, comprensiva y prudente es don Tuyo, y que quien encuentra una esposa fiel halla el bien y obtiene Tu favor.

"Padre, sé que _____ ha encontrado gracia en Tus ojos. Te alabo y te doy gracias por Tu Palabra; sé que Tú te apresuras para ponerla por obra".

CITAS BIBLICAS:
Efesios 5:22-23
Proverbios 18:22
Proverbios 19:14
Filipenses 2:2

Por una Vida Controlada por el Espíritu

"La ley del Espíritu de vida en Cristo Jesús ha hecho a _____ libre de la ley del pecado y de la muerte. La vida de _____ no está gobernada por las normas o los dictados de la carne, sino por el Espíritu Santo. _____ no está viviendo la vida en la carne; _____ está viviendo la vida en el Espíritu. El Espíritu Santo de Dios habita dentro de _____ dirigiéndolo y controlándolo.

"_____ es un vencedor. Su victoria es completa por medio de Jesús, quien lo amó. _____ _____ no se deja vencer por el mal, sino que vence y domina el mal con el bien. _____ _____ lleva puesta toda la armadura de luz. _____ _____ se envuelve de Cristo, el Señor y Mesías, y no da lugar a las satisfacciones de la carne.

"_____ es un hacedor de la Palabra de Dios. Tiene la sabiduría del Padre. Es amante de la paz. Es cortés, considerado y gentil. Está dispuesto a ceder ante la razón. Está lleno de compasión y de buenos frutos. _____ _____ está libre de dudas; no es indeciso ni insincero. Está entregado a Dios.

"_____ permanece firme contra el diablo. _____ resiste al diablo, y éste huye de él. _____ se acerca a Dios, y Dios se acerca a él. _____ no teme porque Dios nunca lo abandona.

"En Cristo, _____ está lleno de la divinidad: Padre, Hijo y Espíritu Santo. ¡Jesús es el **Señor** de _____!"

CITAS BIBLICAS:

Romanos 8:2,4,9,14,31,37

Romanos 12:21

Romanos13:12,14

Santiago 1:22

Santiago 3:17

Hebreos 13:5

Santiago 4:7-8

Colosenses 2:10

Para Tener Victoria Sobre el Temor

"Padre, en el nombre de Jesús, creo y declaro que ninguna arma forjada contra mí prosperará, y que condenaré toda lengua que se levante en juicio contra mí. Declaro que habito al abrigo del Altísimo. Permanezco fijo bajo la sombra del Omnipotente, cuyo poder ningún enemigo puede resistir. Este abrigo me protege de las contiendas de las malas lenguas.

"Declaro que la sabiduría de la Palabra de Dios habita en mí, y por lo tanto, no tengo temor ni aprensión de mal alguno. En todos mis caminos le doy honor a Dios y a Su Palabra. De este modo, El puede dirigir, enderezar y allanar mis veredas. Conforme presto atención a Su Palabra, ella se convierte en medicina para mis nervios, mis tendones, mis huesos y médula.

"He recibido gran poder en mi ser interior por el Espíritu Santo que mora en mí. Dios es mi fortaleza y mi refugio; confío totalmente en El y en Su Palabra. He sido investido de poder a través de mi unión con el Dios Todopoderoso. (Esta unión me da fuerza sobrehumana y sobrenatural para caminar en salud divina y vivir en abundancia.)

"Dios mismo me ha dicho: '*Nunca te dejaré sin sostén; no te abandonaré ni te desampararé hijo mío. Nunca, nunca, nunca, de ninguna forma, te dejaré desamparado, ni quitaré mi apoyo de ti . . . ¡Te aseguro que no lo haré!*'

"Con Sus Palabras me consuelo y me animo. Con seguridad y valor declaro: 'El Señor es mi ayudador; no me rodeará la inquietud, no sentiré temor ni pavor, porque, ¿qué puede hacerme el hombre?'

"Creo y declaro que mis hijos son discípulos del Señor, enseñados por El y obedientes a Su voluntad. Grande es la paz e imperturbable la serenidad de mis hijos, porque Dios mismo contiende con mis hijos de igual manera que conmigo. El les da seguridad y descanso. Sé que Dios perfecciona todo aquello que me concierne.

"Esta Palabra de Dios que he declarado está viva y llena de poder. Es activa y da resultados. Me da energía e influye en mi ser. Cuando hablo la Palabra de Dios, ésta es más cortante que cualquier espada de dos filos, y penetra en mis coyunturas, hasta la médula de mis huesos. Es medicina para mi cuerpo. Es prosperidad para mi vida. Es la maravillosa Palabra del Dios Todopoderoso. De acuerdo con la Palabra de Dios que he declarado, sea hecho. ¡Aleluya!"

CITAS BIBLICAS:

Isaías 54:17

Hebreos 4:12

Salmos 91:1

Salmos 31:20

Proverbios 3:6,8

Efesios 3:16

Salmos 91:2

Efesios 6:10

Hebreos 13:5-6

Isaías 54:13

Isaías 49:25

Salmos 138:8

Hebreos 4:12

Para Tener Victoria Sobre la Glotonería

"Padre, Tu Palabra dice que si yo confieso con mis labios que Jesús es Señor y creo en mi corazón que Tú lo resucitaste de entre los muertos, seré salvo. Padre, soy hijo Tuyo y declaro que Jesucristo es Señor de mi espíritu, mi alma y mi cuerpo. Lo hago Señor de toda situación en mi vida. Por lo tanto, todo lo puedo en Cristo que me fortalece.

"Padre, *he tomado la firme decisión de entregarte todo lo que concierne a mi apetito.* Prefiero a Jesús por encima de la indulgencia de mi carne. Le ordeno a mi cuerpo que se ajuste por completo a Tu Palabra. Comeré sólo cuanto me sea necesario. Comeré y me sentiré satisfecho. Cuando me siente a comer, consideraré cuidadosamente lo que está frente a mí. *No* cederé al deseo de comer golosinas o comidas sin nutrición.

"Como un boxeador, me enfrento a mi cuerpo — lo trato con severidad, lo disciplino con dureza — y lo someto. Mi cuerpo está sujeto a mi hombre espiritual, a mi hombre interior, a mi verdadero yo. Sé que no todas las cosas que me son permisibles son útiles, o buenas. No me convertiré en esclavo, ni me dejaré dominar bajo el poder de ninguna cosa.

"Mi cuerpo es para el Señor. Consagro mi cuerpo, presentando todos mis miembros y facultades, como sacrificio vivo, santo y agradable a Ti. Estoy unido a Ti, Señor, y somos uno en espíritu. Mi cuerpo es el templo, el santuario mismo del Espíritu Santo, que vive en mí, y que recibí de Ti como un don, Padre.

"No soy dueño de mí mismo. Fui comprado por un precio, hecho propiedad Tuya. Por lo tanto, te honro y te glorifico en mi cuerpo. Hago ejercicio y me disciplino. Crucifico mi cuerpo (llevando a la muerte mis deseos carnales, apetitos corporales y deseos mundanos). Lucho en toda forma por tener una conciencia limpia (inconmovible e impecable), libre de ofensas hacia Ti y hacia los hombres. Me mantengo alejado de los ídolos, los falsos dioses (cualquier cosa que pudiera ocupar el lugar que te corresponde a Ti en mi corazón; cualquier cosa que quisiera sustituirte a Ti del primer lugar en mi vida).

"No pasaré el resto de mi vida terrenal viviendo de acuerdo a mis apetitos y deseos humanos, sino que viviré para hacer Tu voluntad. Me pongo en guardia. Rehuso a estar deprimido, agobiado por el vértigo, el dolor de cabeza, las náuseas causadas por la falta de moderación, la ebriedad (de comida), las preocupaciones del mundo. Rehuso todo esto porque he recibido un espíritu de poder, de amor, de tranquilidad, de mente bien equilibrada, de disciplina y de dominio propio.

"Padre, *sí* resisto a las tentaciones, en el nombre de Jesús. Me quito y hago a un lado todo estorbo — ese peso innecesario y esa glotonería que con tanta facilidad (destreza y astucia) trata de aferrarse a mí. Corro con paciencia y persistencia, con firme y activa perseverancia, el curso que me ha sido señalado. Fijo los ojos (apartándolos de todo lo que me pueda distraer), en el autor y consumador de mi fe.

"Cristo el Mesías será honrado, glorificado, y alabado en mi cuerpo; Cristo será poderosamente exaltado en mi persona. ¡Gracias, Padre, en el nombre de Jesús! ¡Aleluya!"

CITAS BIBLICAS:

Romanos 10:9-10

Filipenses 4:13

Deuteronomio 30:19

Romanos 13:14

Proverbios 25:16

I Corintios 6:12-13,17

Proverbios 23:1-3

Romanos 6:13

I Corintios 9:27

I Corintios 6:19-20

Romanos 12:1

Lucas 21:34

II Timoteo 1:7

Santiago 4:7

Hebreos 12:1-2

Filipenses 1:20

Por la Salud y la Sanidad

"Padre, en el nombre de Jesús, declaramos lo que Tu Palabra dice con respecto a la sanidad. Al hacerlo, creemos y declaramos que Tu Palabra no volverá a Ti vacía, sino que realizará lo que dice. Por lo tanto, creemos en el nombre de Jesús que _____ _____ recibe su sanidad de acuerdo a I Pedro 2:24. Está escrito en Tu Palabra que Jesús mismo tomó sus enfermedades y llevó sus dolencias (Mateo 8:17). Por la autoridad de esa Palabra escrita, confiadamente declaramos que _____ _____ ha sido redimido de la maldición de la enfermedad y se niega a tolerar sus síntomas.

"*SATANAS, TE HACEMOS SABER, EN EL NOMBRE DE JESUS, QUE TUS PRINCIPADOS, TUS POTESTADES, TUS ESPIRITUS QUE GOBIERNAN LAS TINIEBLAS DE ESTE SIGLO Y TUS HUESTES ESPIRITUALES DE MALDAD EN LAS REGIONES CELESTES ESTAN ATADOS Y EN NINGUNA MANERA PUEDEN OBRAR CONTRA _____. _____ QUEDA DESATADO DE TU OPRESION. _____ ES PROPIEDAD DEL DIOS TODOPODEROSO Y NO TE PERMITIMOS NINGUN LUGAR EN SU VIDA. _____ MORA AL ABRIGO DEL DIOS ALTISIMO; HABITA Y PERMANECE FIJO BAJO LA SOMBRA DEL OMNIPOTENTE, CUYO PODER NINGUN ENEMIGO PUEDE RESISTIR.*

"Ahora, Padre, porque te reverenciamos y te adoramos, tenemos seguridad en Tu Palabra de que el ángel del Señor acampa alrededor de _____ y lo libra de todo mal. Ningún mal le acontecerá a _____ _____; ninguna plaga o calamidad se acercará a su morada. Confesamos que la Palabra de Dios permanece en _____ _____ y le da perfecta integridad de mente. Sabemos también que la Palabra está dentro de él dándole sanidad completa a su cuerpo y a su espíritu; lo sana desde lo más profundo de su naturaleza (en su espíritu inmortal), hasta las coyunturas y la médula de sus huesos. La Palabra es medicina y vida para su carne. La ley del Espíritu de vida opera en él y le da libertad de la ley del pecado y de la muerte.

"_____ y nosotros tenemos puesta toda Tu armadura. El escudo de la fe nos protege contra los dardos del fuego maligno. Jesús es el Sumo Sacerdote de nuestra profesión, y nosotros nos mantenemos firmes en nuestra declaración de fe en Tu Palabra. Permanecemos firmes con la plena seguridad de que _____ tiene salud y sanidad AHORA, en el nombre de Jesús".

Una vez que hayas hecho esta oración, da gracias al Padre porque Satanás está atado. Sigue confesando esta sanidad y da gracias a Dios por ella.

CITAS BIBLICAS:

Isaías 55:11

Galátas 3:13

Santiago 4:7

Efesios 6:12

II Corintios 10:4

Salmos 91:1,10

Salmos 34:7

II Timoteo 1:7

Hebreos 4:12,14

Proverbios 4:22

Romanos 8:2

Efesios 6:11,16

Salmos 112:7

Oración por los que *Llaman* Imposibilitados

"Padre, venimos ante Ti con confianza y seguridad, sabiendo que Tú no eres hombre para que mientas, y que vigilas Tu Palabra para ponerla por obra. Por lo tanto, Padre, traemos ante Ti a los que llaman física o mentalmente imposibilitados. Padre, por la autoridad de Tu Palabra, sabemos sin lugar a dudas que Tu voluntad es que estas personas (bebés, niños y adultos) sean restauradas y sanadas por completo, en el nombre de Jesús.

"Sabemos, Padre, que Satanás, el dios de este mundo, ataca la obra de Tus manos. Sabemos que Tú eres el Dios de milagros, el Dios de amor, de poder y de fuerza. A través de Tu plan redentor, de lo que Jesús hizo en la cruz y en los infiernos por Tu pueblo, somos redimidos de la maldición de la ley. La ley del Espíritu de vida en Cristo Jesús nos ha librado de la ley del pecado y de la muerte. Nos sentamos en lugares celestiales con Cristo, muy por encima de todas las fuerzas satánicas.

"Por eso traemos ante Tu trono de gracia a estas personas que han sido atacadas sin misericordia — mental y físicamente — por Satanás y sus huestes. Intercedemos por ellos, por sus familiares y por sus seres amados.

SATANAS, TE HABLAMOS A TI, A LOS PRINCIPADOS, A LAS POTESTADES, A LOS GOBERNADORES DE LAS TINIEBLAS DE ESTE SIGLO Y A LAS HUESTES ESPIRITUALES DE MALDAD EN LAS REGIONES CELESTES. LOS ATAMOS, EN EL NOMBRE DE JESUS. Y AHORA LOS LIBRAMOS DE LAS ORDENES QUE LES FUERON ASIGNADAS EN CONTRA DE ESTAS PERSONAS, EN EL PODEROSO NOMBRE DE JESUS. NO PODRAN USTEDES SEGUIR ACOSANDO NI ESTORBANDO A ESTAS PERSONAS, QUIENES TIENEN HOY LA OPORTUNIDAD DE HACER A JESUS SU SEÑOR Y SALVADOR. AHORA, EN CUANTO A LOS PADRES, LOS HIJOS Y TODAS LAS PERSONAS RELACIONADAS, ATAMOS TODA DUDA, FALTA DE FE, TEMOR, TRADICION, DESALIENTO, DEPRESION Y

OPRESION PARA QUE NO OPEREN EN ESTA SITUACION.

"Padre, oramos que mandes personas en posiciones de autoridad (como administradores, maestros, médicos, enfermeras, ayudantes y voluntarios), que sean nacidas de nuevo y llenas del Espíritu Santo. Oramos que hombres y mujeres íntegros, intachables e irreprensibles en Tus ojos, permanezcan en estas posiciones; pero que los malvados y engañadores sean quitados y desarraigados. Padre, oramos para que los obreros de la cosecha vayan a predicar las buenas nuevas a los perdidos y al cuerpo de Cristo. Oramos que despiertes en estas personas el interés en Tu Palabra. Que ellos se llenen de sabiduría y revelación respecto a la integridad de Tu Palabra. Así, ellos podrán hablar palabras de fe y actuar con obras llenas de fe. Pedimos que reciban la plenitud del Espíritu Santo, la salud divina, el fruto del espíritu del hombre que ha nacido de nuevo, los dones del Espíritu Santo y la libertad. Que sepan que Jesús es la fuente de todo su consuelo, tranquilidad y aliento. Que sepan que deben ser santificados en espíritu, alma y cuerpo. Declaramos que han sido redimidos de la maldición de la ley. Han sido redimidos de toda enfermedad, dolencia, aflicción, defecto, deficiencia, deformidad, lesión y de todo demonio.

"Hablamos palabras de sanidad para los que todavía están en el vientre de sus madres, porque, como dice en Tu Palabra, 'He aquí, herencia de Jehová son los hijos; cosa de estima el fruto del vientre'.

"Proclamamos palabras de restauración a las células cerebrales dañadas, y movimiento a las células dormidas. Oramos porque su intelecto sea normal para su edad. Haz, Padre, milagros creadores en sus cuerpo. Hablamos palabras de sanidad para todas las heridas. Hablamos palabras de vida: declaramos que vivirán victoriosamente y no morirán. Declaramos perfecta salud mental y plenitud de cuerpo y espíritu. Declaramos que las lenguas han sido desatadas y el habla es clara. Declaramos que los oídos oyen y los ojos ven, en el nombre de Jesús. Ordenamos que los demonios sean echados fuera y que se inclinen ante el nombre de

Jesús. Declaramos libertad a los cuerpos y a las mentes, porque Tú Señor, Dios, eres el que cambias su semblante y El que levanta al entristecido. ¡El gozo del Señor es su fortaleza y su refugio!

"Comisionamos a los espíritus ministradores de Dios que vayan, al escuchar la Palabra de Dios, a proveer la ayuda necesaria a estos necesitados.

"Padre, ninguna de Tus declaraciones carece del poder necesario para ser cumplida. Nosotros afirmamos Tu Palabra en la tierra, porque ya ha sido afirmada para siempre en el cielo. No hay nada imposible o demasiado difícil para Ti; y sabemos que todas las cosas nos son posibles a nosotros que creemos. Señor, oramos para que otros intercesores fieles y firmes se unan a nosotros.

"Deseamos que nuestras oraciones suban delante de Ti como incienso — una dulce fragancia para Ti. ¡Alabado sea el Señor!"

CITAS BIBLICAS:

Romanos 3:4	Mateo 9:37-38
Jeremías 1:12	Efesios 1:17-18
Hechos 3:16	II Corintios 1:3
II Corintios 4:4	I Tesalonicenses 5:23
Juan 10:10	Salmos 127:3
Gálatas 3:13	Marcos 11:23-24
Romanos 8:2	I Pedro 2:24
Efesios 2:6	Mateo 8:17
Mateo 18:18	Marcos 7:35
Proverbios 2:21-22	Proverbios 20:12
Marcos 16:17	Lucas 1:37
Salmos 42:11	Salmos 119:89
Salmos 146:8	Jeremías 32:27
Nehemías 8:10	Marcos 9:23
Salmos 103:20	Salmos 141:2

Por los Hijos

"Padre, en el nombre de Jesús, en oración declaro Tu Palabra para mis hijos. Los rodeo con mi fe, la fe en Tu Palabra. Sé que Tú vigilas esa Palabra para ponerla por obra. Creo y confieso que mis hijos son discípulos de Cristo, que El les enseña Su voluntad, y ellos obedecen. Grande es la paz e imperturbable la compostura de mis hijos, porque Tú, Dios, contiendes con los que contienden con mis hijos. Tú les das seguridad y descanso.

"Padre, sé que Tú perfeccionarás aquello que me concierne. *Hoy y para siempre te enconmiendo el cuidado de mis hijos, Padre.* Poniéndolos en Tus manos quedo completamente seguro de que Tú los guardarás y los conservarás. Como dice en Tu Palabra, yo sé en quien he creído, y estoy seguro que es poderoso para guardar mi depósito. **¡Tú eres más que suficiente!**

"Declaro que nuestros hijos nos obedecen, porque, como padres, somos los representantes del Señor. Según Tu Palabra, esto es lo correcto y justo. Nuestros hijos _____ _____ nos honran y nos valoran porque este es el primer mandamiento con promesa. Dice la Palabra de Dios que si obedecen les irá bien y vivirán una larga vida sobre la tierra. Creo y confieso que mis hijos escogen vivir para Ti y amarte a Ti, Señor. Obedecen Tu voz y no Te sueltan, porque Tú eres su vida y la largura de sus días. Por lo tanto sé, como dice Tu Palabra, que Tú los pondrás por cabeza y no por cola; estarán siempre por encima y nunca abajo; serán bendecidos en su entrar y en su salir.

"Creo y declaro que Tú les das cargo a Tus ángeles de cuidar a mis hijos, para acompañar, defender y guardarlos en todos sus caminos. Tú, Señor, eres su refugio y fortaleza. Tú eres su gloria y el que les trae honor.

"Como padres, no provocaremos, ni irritaremos, ni

exasperaremos a nuestros hijos. No seremos duros con ellos ni los acosaremos. No causaremos que se desanimen, o se frustren, o se sientan inferiores. No los provocaremos a ser hoscos o malhumorados. No quebrantaremos ni heriremos su espíritu, sino que los educaremos con ternura en las enseñanzas, consejos y admoniciones del Señor. Los instruiremos en el camino por el que deben ir y cuando sean mayores no se apartarán de él.

"¡Oh Señor, Señor mío, cuán excelente (majestuoso y glorioso) es Tu nombre en toda la tierra! Tú has puesto Tu gloria en los cielos y por encima de los cielos. Como dice Tu Palabra, 'De la boca de los niños y de los que maman, fundaste la fortaleza, a causa de tus enemigos, para hacer callar al enemigo y al vengativo'. Canto alabanzas a Tu nombre, oh Altísimo. **¡Aparto al enemigo de mis hijos en el nombre de Jesús!** _____ _____ aumentan en sabiduría y en favor con Dios y con los hombres".

CITAS BIBLICAS:

Jeremías 1:12

Isaías 54:13

Isaías 49:25

I Pedro 5:7

II Timoteo 1:12

Efesios 6:1-3

Deuteronomio 30:19-20

Deuteronomio 28:13,3,6

Salmos 91:11,2

Salmos 3:3

Colosenses 3:21

Efesios 6:4·

Proverbios 22:6

Salmos 8:1-2

Salmos 9:2-3

Lucas 2:52

Por el Hogar

"Padre, te doy gracias porque me has bendecido con toda bendición espiritual en Cristo Jesús.

"Como lo declara Tu Palabra, mi casa (mi vida, mi hogar y mi familia) se edifica a base de habilidad y sabiduría divina. Por medio de la prudencia se establece sobre un fundamento firme y sano. Con conocimiento sus habitaciones (y cada rincón) se llenan de todo valioso y agradable bien. También dice Tu Palabra que la casa de los justos permanecerá firme. Declaro que el bienestar y la prosperidad están en mi casa, en el nombre de Jesús.

"Mi casa está firmemente edificada. Está firme sobre una roca: el conocimiento revelador de Tu Palabra, Padre. Jesús es mi piedra angular. Jesús es el Señor de mi hogar. Jesús es Señor sobre todos nosotros, _____, de nuestro espíritu, alma y cuerpo.

"Cualquiera que sea nuestra labor, la hacemos de corazón, como algo hecho para Ti, Señor, y no para los hombres. Nos amamos los unos a los otros, con el amor que viene de Dios, y vivimos en paz. Mi hogar ha sido puesto a Tu cargo, encomendado a Tu protección y cuidado.

"Padre, mi familia y yo serviremos al Señor, en el nombre de Jesús. ¡Aleluya!"

CITAS BIBLICAS:

Efesios 1:3	Hechos 16:31
Proverbios 24:3-4	Filipenses 2:10-11
Proverbios 15:6	Colosenses 3:23
Proverbios 12:7	Colosenses 3:14-15
Salmos 112:3	Hechos 20:32
Lucas 6:48	Josué 24:15
Hechos 4:11	

Por los Esposos

"Padre, en el nombre de Jesús, sostengo Tu Palabra y creo en este día que _____ presta atención a Tu sabiduría, y que él y yo habitaremos seguros, confiados y sin temor alguno. _____ pone atención a la sabiduría divina e inclina su corazón y mente al entendimiento. Aplica toda su energía a la búsqueda de esta sabiduría.

"El no permite que la misericordia, la bondad y la verdad lo abandonen. Las ata alrededor de su cuello y las escribe en la tabla de su corazón. Valora en gran manera Tu sabiduría y la exalta. También ella lo exaltará a él; le traerá honra porque él se ha asido de ella. En el Señor tiene una confianza firme y poderosa. Dios no dejará que su pie caiga en trampa o en peligro escondido.

"Dondequiera que vaya _____, la Palabra sabia de Dios lo guiará. Cuando duerma, lo guardará. Cuando despierte, le hablará. Por lo tanto, él hablará de manera excelente y noble. Sus labios se abrirán para pronunciar lo correcto. Todas las palabras de su boca serán justas, rectas y bien vistas por Ti. No hay nada en sus palabras que sea torcido o contrario a la verdad.

"_____ será siempre atento conmigo y tendrá una comprensión sabia de nuestra relación matrimonial. Me honrará como la más débil físicamente. Sin embargo, se dará cuenta de que espiritualmente somos coherederos del trono con Jesús. _____ sabe que teniendo esta buena relación conmigo, nuestras oraciones no serán estorbadas o negadas.

"Confieso que somos uno en mente y espíritu. Somos compasivos, corteses, de corazón tierno y mente humilde. Declaro que tendremos bienestar, felicidad y protección, porque _____

_____ y yo nos amamos y nos respetamos.

"Gracias, Padre, porque _____ es un hombre de buena reputación, y porque tiene éxito en todo aquello en que pone su mano. Es inquebrantablemente justo y santo. Rescata vidas; es un pescador de hombres para Ti. Haciendo esta labor, confía que Tú, Su Señor y Dios, le enseñarás a prosperar, le guiarás en el camino por donde debe andar, y, le suplirás abundantemente todas sus necesidades. ¡El ha obtenido Tu favor, Señor, y Tu voluntad se cumple en su vida!"

CITAS BIBLICAS:

Proverbios 1:33

Proverbios 2:2

Proverbios 3:3

Proverbios 4:8

Proverbios 3:26

Proverbios 6:22

Proverbios 8:6,8

I Pedro 3:7-9

Proverbios 11:30

Isaías 48:17

Por un Matrimonio Armonioso

"Padre, venimos a Ti en el nombre de Jesús. Está escrito en Tu Palabra que Tu amor es derramado sobre nuestros corazones por el Espíritu Santo que nos es dado. Sabiendo que Tú estás en nosotros, declaramos que, por encima de todo, el amor reina en nosostros. Creemos que el amor se manifestará en su máxima expresión, envolviéndonos y uniéndonos fuertemente en la verdad. Nos hará perfectos para toda buena obra, a fin de hacer Tu voluntad, obrando en nosotros lo que es agradable a Tus ojos.

"Nos comportamos y vivimos de una manera honorable y digna en nuestro matrimonio. Respetamos nuestro matrimonio y le damos gran valor. **Nos comprometemos a vivir en armonía y en acuerdo total.** Nos deleitamos el uno con el otro, teniendo una misma mente y permaneciendo unidos en espíritu.

"Padre, creemos y declaramos que somos bondadosos, compasivos, corteses, de corazón tierno y mente humilde. Siguiendo el amor y permaneciendo en paz, sabemos que nuestras oraciones no son obstaculizadas en forma alguna, en el nombre de Jesús. Somos coherederos de la gracia de Dios.

"Nuestro matrimonio se fortalece día tras día en el vínculo de la unidad, porque está fundado en Tu Palabra y cimentado en Tu amor. Padre, Te damos gracias por el cumplimiento de todo esto, en el nombre de Jesús".

CITAS BIBLICAS:

Romanos 5:5	Efesios 4:32
Filipenses 1:9	Isaías 32:17
Colosenses 3:14	Filipenses 4:7
Colosenses 1:10	I Pedro 3:7
Filipenses 2:13	Efesios 3:17-18
Filipenses 2:2	Jeremías 1:12

Por la Compatibilidad en el Matrimonio

"Padre, en el nombre de Jesús oro por (*su esposa o esposo*) y por mí mismo. Declaro que tenemos gran tolerancia, paciencia y bondad. Nunca somos envidiosos ni ardemos en celos. No somos orgullosos ni vanagloriosos. No nos exhibimos con altivez. _____ y yo no somos presumidos, arrogantes ni orgullosos. No somos rudos ni descorteses, ni actuamos indecorosamente. No insistimos en nuestros derechos, o en hacer las cosas a nuestra manera. No somos egoístas, ni irritables, ni quejumbrosos, ni resentidos. No tomamos en cuenta el mal que se nos haya hecho, ni ponemos atención a las injusticias que hayamos sufrido. No nos gozamos por la injusticia o la falta de rectitud, al contrario, nos regocijamos cuando prevalecen el derecho y la verdad.

"Soportamos todo lo que venga. Siempre creemos lo mejor el uno del otro. Nuestra esperanza nunca se desvanece, sean cuales fueran las circunstancias. Todo lo soportamos sin debilitarnos. NUESTRO AMOR NUNCA SE ACABA — no se desvanece, no se vuelve obsoleto ni llega a su fin.

"Confesamos que nuestra vida y la vida de nuestra familia expresa amorosamente la verdad en todas las cosas. Hablamos la verdad, nos tratamos con la verdad y vivimos la verdad. Estamos envueltos en amor y hemos madurado en todas las áreas. Nos apreciamos mutuamente y ponemos nuestro deleite el uno en el otro. Nos perdonamos rápida y generosamente, como Tú nos has perdonado en Cristo. Somos imitadores Tuyos. Copiamos Tu ejemplo como los hijos amados imitan a su padre.

"Gracias, Padre, que nuestro matrimonio se hace cada día más fuerte porque está fundado en Tu Palabra y en la clase de amor que Tú tienes. Te alabamos por TODO, Padre, en el nombre de Jesús".

CITAS BIBLICAS:
I Corintios 13:4-8
I Corintios 14:1
Efesios 4:15,32
Efesios 5:1-2

Intercesión por un Matrimonio en Dificultades

"Padre, en el nombre de Jesús traemos a (*nombres*) ante Ti. Oramos y confesamos Tu palabra sobre ellos. Hacemos uso de nuestra fe, creyendo que Tu Palabra se cumplirá.

"Por lo tanto, oramos y declaramos que _____ _____ dejarán toda amargura, indignación, ira, pasión, furia, mal carácter, resentimiento, contienda, calumnia, maledicencia, grito y lenguaje abusivo. También desaparecerá toda malicia, rencor, ofensa o bajeza de cualquier tipo. Pedimos que _____ se vuelvan bondadosos, amables y serviciales entre sí; que sean tiernos de corazón, compasivos, comprensivos, amorosos, dispuestos a perdonarse con rapidez y generosidad, como Tú, Padre, los perdonaste en Cristo.

"_____ serán imitadores de nuestro Dios. Seguirán Tu ejemplo como los hijos amados imitan a su padre. _____ caminarán en amor, apreciándose y deleitándose el uno en el otro. Su ejemplo será que Cristo los amó y se entregó por ellos, como sacrificio ofrecido a Ti, oh Dios: un sacrificio que se convirtió en dulce fragancia para el Padre.

"*SATANAS, ATAMOS TUS ACTIVIDADES SOBRE* _____ _____. *NOS ENFRENTAMOS A TI, ESPIRITU DE SEPARACION Y DE DIVORCIO. TE DESATAMOS DE LA MISION QUE TE FUE ENCOMENDADA CONTRA ELLOS. SATANAS, TU PODER HA QUEDADO ROTO EN ESTE MATRIMONIO, EN EL NOMBRE DE JESUS.*

"Padre, te damos gracias porque _____ _____ serán renovados constantemente en el espíritu de su mente. Tendrán una nueva actitud mental y espiritual. Se han revestido de una nueva naturaleza y son creados a imagen Tuya en justicia y santidad. Han recapacitado y escapado de la trampa del diablo que los mantenía cautivos. De ahora en adelante harán Tu voluntad: se amarán con amor divino, unidos en completa paz, armonía y felicidad.

"Gracias por contestar esta oración, Señor. Sabemos que está hecho AHORA, en el nombre de Jesús".

CITAS BIBLICAS:
Efesios 4:31-32
Efesios 5:1-2
Mateo 18:18
Efesios 4:23-24
II Timoteo 2:26

Oración de la Esposa

"Padre, en el nombre de Jesús, confieso Tu Palabra con mi boca; tengo fe en que soy una mujer capaz, inteligente, paciente y virtuosa. Soy más valiosa que cualquier joya preciosa. Para mi esposo y para mis hijos valgo más que los rubíes y las perlas.

"Mi esposo _____, y mis hijos _____, tienen puesta su confianza en mí. Creen en mí. Se apoyan confiadamente en mí. Por eso, como dice Tu Palabra, ellos no tienen falta de ganancia honrada, ni necesitan el botín deshonesto.

"Padre, me comprometo a darles consuelo y ánimo; mientras haya vida en mí, sólo les haré el bien. Me ciño de fortaleza espiritual. Tengo fuerza mental y física para la tarea que Tú me has dado. Hago fuertes y firmes mis brazos. Veo que vayan bien las ganancias de mi trabajo con Dios (y para Dios). Mi lámpara no se apaga: arde continuamente a lo largo de noches en que pueda haber problemas, privaciones o angustias; esta lámpara mantiene alejados al temor, la duda y la desconfianza.

"Alargo mi mano al pobre; extiendo mis manos llenas a los necesitados de espíritu, mente y cuerpo. Mi esposo es conocido como un hombre que triunfa en todo lo que emprende. La fortaleza y la dignidad son mi ropaje, y es fuerte mi posición dentro del hogar. Estoy confiada y en paz, sabiendo que tanto yo como mi familia estamos listos para el futuro. Abro la boca con hábil y divina sabiduría; en mi lengua está la ley de la bondad y del amor. Atiendo bien a los asuntos de mi hogar; no como el pan de la ociosidad, la murmuración, el descontento y la autocompasión.

"Mis hijos se levantan y ven que soy bienaventurada y feliz. Mi esposo está orgulloso de mí y me alaba diciendo que sobresalgo en todo lo que emprendo. Soy una mujer que Te ama con reverencia y adoración, y que sabe que le darás el fruto de sus manos. Mis obras me traerán honra dondequiera que vaya, Padre, porque declaro que soy una esposa sumisa, *simplemente porque quiero serlo*. Te doy gracias por mi esposo, que es la cabeza de nuestra familia, pero quien me ha dado (en mi rango), el poder necesario para hacer lo que dice Tu Palabra en Proverbios 31:10-31. Soy como la mujer descrita ahí: una esposa amorosa, triunfante y sometida . . . en el nombre de Jesús".

CITA BIBLICA:
Proverbios 31:10-31

Para Recibir al Ciento por Uno

"Padre, en el nombre de Jesús, doy honra a la verdad e integridad de Tu Palabra. Te doy gracias porque Tu Palabra declara que Tú me restituyes al ciento por uno lo que he dado. Confieso ante Ti, ante las huestes del cielo, y ante las multitudes de la tierra, que esta restitución del ciento por uno es mía. Yo he dado de mi tiempo y de mis posesiones para seguirte. También he dado para la causa del Evangelio. Ahora sé que la completa restitución del ciento por uno está obrando, y viene ya en camino. Confieso que Tú obras para que esta abundancia venga a mí. Sé que me pertence esta restitución porque *Tu Palabra dice que es mía.* ¡Declaro que la tengo ahora!

"Recibo la abundancia que tiene la vida. Recibo Tu bendición, porque eres Tú quien me das el poder de conseguir riquezas. De esta forma Tú confirmas Tu pacto conmigo. Te doy gracias que el conocimiento revelado de este pacto está aumentando constantemente en mi espíritu. Tu Palabra es veraz y Tú estás alerta, vigilando sobre ella para realizarla en mi vida.

"Padre, te agradezco por Tu bendición que me hace verdaderamente rico, y que Tú no añades dolor con esa bendición. Sé, porque Tu Palabra lo dice, que el bien y la misericordia me seguirán todos los días de mi vida. En el nombre de Jesús, Amén. ¡Así sea! ¡Gloria a Dios!"

CITAS BIBLICAS:

Marcos 10:29-30	Jeremías 1:12
Marcos 11:23	Proverbios 10:22
Deuteronomio 8:18	Deuteronomio 30:19
Colosenses 1:10	Salmos 23:6

Por Tu Prosperidad y la de Otros

"Padre, en el nombre de Tu Hijo Jesús, declaramos que Tu Palabra se hará realidad en la vida de _____ _____. Lo declaramos con nuestros labios y lo creemos en nuestros corazones; sabemos que Tu Palabra no regresará a Ti vacía, sino que cumplirá aquello para lo que fue enviada.

"Por lo tanto, creemos, en el nombre de Jesús, que las necesidades de _____ se satisfacen de acuerdo a Filipenses 4:19. Creemos que por haber dado a Tu causa, _____ ahora recibirá dones: medida buena, apretada, remecida y rebosando en su regazo. Con la medida que él da, le será dado. De acuerdo a Marcos 10:29-30, Padre, confesamos una restitución al ciento por uno para él.

"Padre, Tú has liberado a _____ _____ de la autoridad de las tinieblas para llevarlo al reino de Tu hijo amado. Padre, creemos que _____ _____ ha asumido su lugar como hijo Tuyo. Confesamos que Tú has asumido Tu lugar como su Padre y has hecho Tu morada en el corazón de _____. Sabemos que ahora mismo estás cuidándolo, capacitándolo para caminar en amor y sabiduría, y enseñándole a caminar íntimamente con Tu hijo.

"*SATANAS, ATAMOS TU PODER SOBRE LAS FINANZAS DE* _____ *, SEGUN MATEO 18:18, Y TE DESATAMOS DE TU MISION CONTRA EL.*

"Te damos gracias, Padre, porque los espíritus ministradores que Tú le has mandado a _____ están libres ahora para ministrarle y traerle las finanzas que necesita.

"Padre, confesamos que Tú eres nuestro pronto auxilio en las tribulaciones, y que eres más que suficiente. Confesamos, oh Dios, que Tú puedes hacer que toda gracia, todo favor y bendición terrenal lleguen en abundancia a _____ _____. De esta manera, no importará la circunstancia o necesidad; él será autosuficiente. El tendrá siempre lo necesario para no tener que recurrir a la ayuda o al sostén de otros, y podrá dar en abundancia para toda buena obra de amor".

CITAS BIBLICAS:

Isaías 55:11

Filipenses 4:19

Lucas 6:38

Marcos 10:29-30

Colosenses 1:13

II Corintios 6:16,18

Mateo 18:18

Hebreos 1:14

II Corintios 9:8

Salmos 46:1

La Consagración de Tus Diezmos

"Profesamos este día ante Dios que participamos de la herencia que el Señor juró darnos. Vivimos en el reino del Dios todopoderoso, en el lugar que Cristo Jesús ha provisto para nosotros. Eramos pecadores sirviendo a nuestro dios Satanás; pero Te invocamos en el nombre de Jesús y Tú escuchaste nuestro clamor. Nos libraste y nos trasladaste al reino de Tu amado Hijo.

"Jesús, como nuestro Señor y Sumo Sacerdote, te traemos las primicias de nuestras ganancias, y con ellas Te adoramos.

"Nos regocijamos en todo lo bueno que nos has dado a nosotros y los de nuestra casa. Hemos escuchado la voz del Señor nuestro Dios y hemos hecho conforme a todo lo que El nos ha mandado. Ahora, inclina Tu mirada desde Tu santa habitación en los cielos y bendícenos como dijiste en Tu Palabra. Te damos gracias, Padre, en el nombre de Jesús".

CITAS BIBLICAS:
Deuteronomio 26:1,3,10-11,14,15
Efesios 2:1-5
Colosenses 1:13
Hebreos 3:1,7-8

Obras de Consulta

Adams, Billie. "Dinamic Prayer Power". (Cintas)
Capps, Charles. "Prayer that Changes Things". (Cinta)
Copeland, Gloria. *God's Will for You.*
Copeland, Kenneth. *Believer's Voice of Victory.* (Circular)
Copeland, Kenneth. "God's Plan for You". (Panfleto)
Hagin, Kenneth. *Man of Three Dimensions.*
Hagin, Kenneth. *Praying to Get Results.*
Hagin, Kenneth. *Faith Food.*
Kenyon, E. W. *In His Presence.*

Si desea ponerse en contacto con Word Ministries escriba a:

Word Ministries, Inc.
38 Sloan St.
Roswell, GA 30075

Siéntase en libertad de incluir sus peticiones de oración y sus comentarios cuando escriba.

Oraclones con Poder

**Pídalo en su libería local,
o escriba a:**

HARRISON HOUSE
P. O. Box 35035
Tulsa, OK 74153

Libros en Español
Publicados por Harrison House

Word Ministries, Inc.
Oraciones con Poder

Frederick K. C. Price
Cómo Obra la Fe

Charles Capps
*El Poder Creador de Dios
Obrará Para Ti . . .*

**Pídalos en su librería local,
o escriba a:**

Harrison House
P. O. Box 35035
Tulsa, OK 74153
Estados Unidos de América

Beverly Capps Burgess
Dios Nunca Está Demasiado
Ocupado
(God is Never Too Busy To Listen!)
Un libro bilingüe de Little Castle
Library

Dios Nunca Está Demasiado Ocupado es un libro escrito en Español e Inglés que enseña a los niños acerca de un Dios bueno y amoroso. Les presenta a un Dios que siempre está cerca y listo para escuchar y responder a sus agradecimientos y gozos, sus dolores y problemas, y sus preocupaciones y cuidados.

Pídalo en su librería local,
o escriba a:

Little Castle Books
P. O. Box 35035
Tulsa, OK 74153
Estados Unidos de América